VOLTAMOS PORQUE TEM *pão*

NEIVA TERCEIRO

DA MESA À PROFISSIONALIZAÇÃO

VERMELHO MARINHO

Autora
Neiva Terceiro

Editor-chefe
Tomaz Adour

Revisão
Equipe Vermelho Marinho

Diagramação
Marcelo Amado

Capa
Marcelo Amado

Consultoria de Escrita
Central de Escritores
(Rose Lira e Esther Lira)

T315v

Terceiro, Neiva
Voltamos porque tem pão: da mesa á profissionalização / Neiva Terceiro.
Rio de Janeiro: Vermelho Marinho, 2017.
220 p. 16 x 23 cm

ISBN: 978-85-8265-097-4

1. Literatura brasileira 2. Panificação 3.Culinária I. Título

CDD: 641

EDITORA VERMELHO MARINHO
Rua Visconde de Silva, 60/casa 102,
Botafogo, Rio de Janeiro/RJ, 22.271-092.

DEDICATÓRIA

Dedico essa obra ao meu esposo Albérico Terceiro, que nunca deixou de acreditar em meus sonhos. Ele, um amigo sempre presente em perseverança e apoio, um companheiro incessantemente construindo pontes para que eu pudesse voar e me realizar através da minha profissão. Um homem com a coragem de fazer o que em muitas ocasiões eu achava impossível se concretizar. Como você mesmo falou ao fazer a última leitura desses escritos: "Estamos lendo o nosso sonho"!

ÍNDICE

CAPÍTULO 2
TEXTURAS, SABORES E AROMAS NASCEM NA FUSÃO CULTURAL

CAPÍTULO 3
PONDO A MASSA PARA LEVEDAR: DA PROFISSIONALIZAÇÃO À EXCELÊNCIA

CAPÍTULO 4
SOVAR O PÃO É SEMPRE UMA VIAGEM PRAZEROSA

CAPÍTULO 5
ATERRIZANDO COM NOVAS IDEIAS: INOVAÇÃO É UMA MARCA

CAPÍTULO 6
UM NOVO HORIZONTE: RECONHECIMENTO NÃO SE COMPRA

CAPÍTULO 7
A ALMA DO PÃO... SOU EU E VOCÊ!

AGRADECIMENTOS

Agradeço a Deus pelo Dom que foi me concedido, desejo que seja digna de tê-lo em minhas mãos, e tenha a oportunidade de passar meus conhecimentos para tantas outras pessoas.

Agradeço a meus filhos Guilherme e Giulia Terceiro por serem minha motivação maior, aos meus pais José Torres e Yolanda Cruz pelos ensinamentos e de onde vem minha garra e força, e a minha sogra Dona Maria José Terceiro pelo apoio e cumplicidade.

Grata à minha equipe de trabalho, incansável, competente e leal, representada por Ivonete Rodrigues meu braço direito na produção.

Não posso deixar de agradecer aos parceiros, fornecedores, em especial ao Grupo M. Dias Branco, Moinho M. Dias Branco, GME Gorduras e Margarinas Especiais e a grande Salineira Cimsal, por sempre acreditarem em nosso trabalho. Parcerias construídas com admiração e respeito, sentimentos próprios de uma aliança de confiança.

E por fim, minha mais profunda gratidão e reconhecimento aos meus clientes, que me inspiraram, me motivaram, e se tornaram mais que clientes, são amigos e amigas que em todos esses anos apostaram, acreditaram e sempre estiveram ao meu lado nessa caminhada de sabor.

PREFÁCIO

As escolhas quando acenam para nós com o novo e despertam o desejo de novidades, nos impulsionam para a trilha de caminhos não percorridos antes. Ensinam sobre o prazer e sobre os temores do desapego. Soltam as amarras e permitem que se aninhe em nós a coragem. A partir de então partimos. A partida tem significados expressivos porque revela força, destemor e a curiosidade da descoberta. Rompemos com o estabelecido. Propomos rupturas estruturais e sentimentais. Somos movidos pela paixão do desconhecido.

Deixamos amores profundos estabelecidos nos vínculos familiares. Mas, vamos cientes de que continuarão sendo amores. Nada quando tem solidez é de passagem. O que é de passagem se solta no ar como se fora fumaça. Mas nessa viagem recheada de horizontes somente imaginados estamos soltos, nada de paralisante existe, nem nos prende. Conseguimos chegar ao mais profundo do que é e será o nós mesmos.

É assim que a artista cresce. Desabrocha. Liberta de dentro de si a sua essência. Uma criatividade que estava adormecida diante da zona de conforto. De fora da perspectiva da liberdade. É solta com simplicidade, sem temores, toda a sua criatividade. Domina as dificuldades utilizando-se de todo o seu potencial vindo das entranhas do ser criativo. É necessário esse passeio pelo desconforto. Neiva Terceiro sabe que conta com o apoio incondicional do seu parceiro de todas as horas, Albérico Terceiro.

Ela apropria-se do mais profundo que existe no seu interior. Seu trabalho com a panificação se descortina. Revela-se. Surgem novos formatos, sabores e aparece diante da nova vida algo que estava adormecido: os pães artesanais de Neiva Terceiro. Eu sempre chamo de pães gourmet, porque eles já nasceram absolutamente conceituados dentro da gastronomia contemporânea. Neiva aprofunda-se na nova verdade. Acolhe a artista.

Desenvolve o potencial adormecido. Encontra no companheiro, o grande aliado. Eles crescem junto aos filhos. Descobrem a felicidade e o prazer de alimentar exigentes paladares. Misturam os aromas, sabores para entregar amorosamente a delicadeza de pães preciosos. Crescem os rumos e as descobertas. Os temores se despedem. "Vamos para onde desejarmos". Percebem. E fazem do pão o alimento da vida agora entregue aos apreciadores, que se transformaram em muitos. Fizeram amigos.

Nasce agora nova atitude que está explícita nas refeições leves, delicadas, saborosas e inesquecíveis. É o pão nosso de cada dia servido na mesa coletiva, junto ao repasto, para que todos se sintam acolhidos e surjam novas amizades. A divinização do repasto. Neiva e Albérico Terceiro doam a sua essência maior alimentando, acolhendo com todo o calor humano necessário. Com alegria, amor, afetividade, eles recebem seus convivas, assim como acolhem os filhos Guilherme e Giulia. Recebem de muitos a admiração, respeito e carinho pelo seu trabalho. Isso é a devolução. Sou feliz em privar da amizade de vocês. Meu carinho está expresso nessas palavras.

Ivonilo Praciano

Jornalista Gastronômico com 34 anos de Carreira Jornalística.
Ivonilo é aquela figura que, por onde transite, deixa marca de alegria.

O Livro **VOLTAMOS PORQUE TEM PÃO, Neiva Terceiro da Mesa à Profissionalização,** é um misto de autobiografia, empreendedorismo, e incentivo à superação diante das dificuldades organizacionais e profissionais.

Em cada capítulo o leitor contará com diversas caixas de leitura:

- Dicas de Empreendedorismo através de VOCÊ É O PÃO QUE COME!

- Sugestões relacionadas às questões administrativas durante a implantação de um negócio, através da janela PADARIA OU PADARECA? Escrita pelo apoiador incansável, sócio e marido amoroso de NEIVA TERCEIRO, Albérico Terceiro.

- O SUCESSO SE CONQUISTA COM RELACIONAMENTOS, onde estão depoimentos riquíssimos de clientes, que além de trazer credibilidade a obra, nos ensinam a importância dos relacionamentos no sucesso de um empreendimento, uma porção cheia de poesia e encantamento.

- COMENDO COM OS OLHOS, nos faz viajar por outros países, um banho de historicidade e curiosidades.

- E como não podia faltar, CHEIRO DE PÃO, as receitas preciosas de NEIVA TERCEIRO, escolhidas de acordo com a história contada, que nos enche a boca d'água. Como ela mesma diz, "conto tudo, e não escondo nada", as receitas vêm com os segredos descobertos em sua oficina de criação, cada pitada da alquimia é repassada ao leitor. Raridade em um mundo especialista em reservar o melhor para si mesmo.

E isso é só uma parte, pois a cada capítulo a história nos prende, surpreende e ensina. Nos faz pensar e nos emociona, dá fome de pão e de gente, nos desafia a viver o pão de cada dia como se fosse o último:

- No capítulo 1, a autora nos conta a gestação da sua caminhada, como foi despertada para a arte da panificação.

- No capítulo 2, nos leva ao desafio de quem quer empreender e precisa enfrentar a realidade da multicultura em nosso país.

- No capítulo 3, nos ensina através da sua vivência, os vários aspectos que envolvem o Amadorismo, a Empresa Familiar, a Profissionalização e a busca por Excelência.

- No capítulo 4, vamos dar uma esticada pela Europa, onde aprendemos com a autora a nos apaixonar por aprender e amarmos o que fazemos. Ela também nos fornece dicas sobre como organizar uma mesa de pães em um Evento ou Reunião. Pérola!
- No capítulo 5, a inovação pura, a mudança de olhar, a superação e a resiliência no âmbito do crescimento profissional. Aprendemos sobre a diferença entre custo e investimento, a importância da boa escolha para um bom andamento nos negócios. E o mais importante: Não há negócio, ou empreendimento mais importante que nossa família.

- No capítulo 6 a autora nos mostra os frutos do seu trabalho: 108 tipos de pães diferentes e dicas importantíssimas sobre o Pão Integral e os Pães em Restaurantes. Uma preciosidade!

- No capítulo 7, ela se despede, é claro, com pães e com tesouros. Ela ensina, passo a passo, como utilizar a Fermentação Natural, sem omitir nenhuma letra nas suas descobertas sobre esse assunto maternal, como ela mesma denomina. E sai de cena deixando uma receita de comer de joelhos: PÃO DE MACAXEIRA E CARANGUEJO AO CHUTNEY DE CAJÁ.

A obra é inspirativa no quesito criatividade, inovação e contextualização. A inovação para NEIVA TERCEIRO está totalmente interligada com a inteligência afetiva. Ela inova porque ama. Ela se desafia a sair do comum porque acredita na singularidade de cada cliente seu. E como não podia deixar de ser, enquanto lemos, sentimos o cheiro de pão, linha após linha. A obra é um curso para quem tem inclinação para a panificação, um ensinamento não unicamente em fazer pão, mas em transformar a vocação em obra de arte.

Só posso encerrar dizendo que tenho sorte em morar na mesma cidade onde está localizada a NEIVA TERCEIRO PÃES ARTESANAIS, porque agora dou um até logo a vocês e vou me deliciar com os pães, antepastos e vinhos da Padoca, enquanto você leitor tem sorte também, porque vai poder se deliciar com a leitura desse livro.

Não precisamos dizer mais nada, porque é falta de educação falar com a boca cheia.

Rose Lira

Consultora de Escrita na Central dos Escritores
E mais recentemente, admiradora da NEIVA TERCEIRO.

Quero deixar aqui, aromas, alegrias, paixões e superações.

Não pretendo ser técnica na escrita, pois já temos ótimos materiais de pesquisa de profissionais renomados da área, tanto nacionais como internacionais no mercado; quero passar nessa leitura, experiências, descobertas, frustrações, acertos, vitórias e a paixão por um dos alimentos mais antigos da humanidade.

Quero levar você para fazer uma viagem pelo universo da panificação através do meu olhar. Um universo onde não só de pão e glamour vive uma Padeira, mas também de aprendizado diário. Você aprenderá que quando se tem um sonho e deseja realmente conquistá-lo, você contará com todas as temperanças que a vida oferece no dia a dia... e se você acreditar e souber contornar cada obstáculo, será capaz de realizar os seus sonhos mais adormecidos.

A cada capítulo você descobrirá inúmeras possibilidades. Possibilidades essas que talvez até hoje você não pensou ser capaz de vivenciar. Quero encorajá-lo! Quero que você veja seu sonho grande e o realize. E quando isso acontecer, ficarei muito feliz de receber um e-mail seu, contando do seu sonho concretizado.

Não existe sonho pequeno, existe medo grande, e quando você atravessar essa barreira, verá o quão grande você é.

Neiva Terceiro

capítulo 1

GESTAÇÃO E PÃO, INÍCIO DE TUDO!

Farinha de Trigo
finna
para todas as receitas

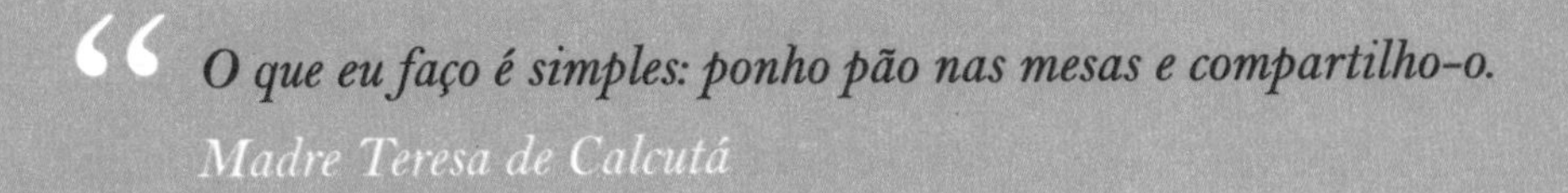

“ *O que eu faço é simples: ponho pão nas mesas e compartilho-o.*

Madre Teresa de Calcutá

Às vezes, me pego pensando onde começou minha paixão pelo pão e pela arte da gastronomia. Aí vêm à cabeça as lembranças da infância, infância de pé no chão, de brincar de pega-pega, esconde-esconde, mocinho e bandido, pular corda, e, de repente me vejo fazendo bolinhos de areia, pãezinhos de barro e tortinhas decoradas com flores apanhadas no terreno ao lado da minha casa. Ficávamos horas e horas brincando em um corredor no quintal de casa, eu e minhas amigas, na época, Mara, Lígia e Cidinha; o tempo passava e nem percebíamos.

Sempre estava rodeando minha mãe na cozinha, curiosa, vendo-a preparar a comida da família, mas o que eu gostava mesmo, era quando ela se aventurava a fazer algo diferente, como por exemplo, panetones de frutas assados em latas de leite ninho, para dar o formato adequado. Ela falava que não sabia fazer pão direito, mas eu amava aquele aroma, pra mim era o melhor panetone do mundo.

Finais de semana a brincadeira era na casa dos meus avós maternos, vó italiana e vô espanhol; então dá para imaginar como era a alimentação da família, farta e rodeada de alegria.

Trago lembranças da minha querida tia Nena e vó Rosa, fazendo pão doce, pizzas, bolo de fubá, era a vó Rosa que fazia o delicioso mantecal (biscoito à base de banha de porco, manteiga, com goiabada que derretia na boca) **especialidade da minha avó**, e outras delícias, e eu lá, debruçada na mesa, vendo toda aquela magia da transformação da farinha, leite, ovos e fermento nas mãos da minha tia. Em meio a essa alegria de sabores, eu ganhava um pedacinho de massa para brincar de fazer pão, sovando o meu pedacinho junto a ela. Depois de todo aquele encantamento, vinha a mágica da bolinha de massa na água, Tia Nena colocava uma bolinha em um copo com água e me explicava que, quando aquela bolinha subisse até a borda do copo, estava na hora de levar ao forno o nosso pão doce, e eu, ficava vigiando aquele copinho de instante a instante, para dar a notícia para a tia, que estava na hora de colocar o pão no forno... Ahhh! Mais uma vez ficava inebriada com aquele cheirinho delicioso do pão assando e ficava pensando naquela magia da farinha se transformar naquele delicioso pão que tomávamos no café da tarde, e sempre era uma festa.

O tempo foi passando e eu sempre admirando as mulheres da minha família, a arte e o amor com que elas cozinhavam para todos. Sempre que chegava alguém em suas casas tinham algo especial para oferecer com um cafezinho fresco.

Cresci, e essas lembranças ficaram no passado, pouco cozinhava, pois não tinha tempo, sempre trabalhando e estudando. Depois veio o casamento, e nessa fase geralmente as mulheres colocam seus dotes culinários à prova para agradar o marido e os amigos que vêm nos visitar; foi aí que começou a paixão por cozinhar. Era algo tão fácil, tão gostoso, parecia que os temperos vinham até mim e não eu a eles. Era como se eu fizesse aquilo a vida inteira, tudo que eu me propunha a fazer dava certo e arrancava elogios dos amigos, e com isso, eu colocava mais e mais amor no preparo dos alimentos.

Quando a família começou a crescer, com a chegada do meu filho Guilherme, comecei a me arriscar a fazer pães para nossa casa. E a cada fornada, aquela mesma sensação de encantamento do pão perfumado e prontinho na mesa. Aí inverteram-se os papéis, eu fazia os pães e a tia Nena apreciava, pois ela já não tinha mais força nos bracinhos para sovar o pão. Era minha vez de retribuir o aprendizado, e sempre que ela e minha mãe pediam, eu fazia os pães para o café.

Nessa época trabalhava na área administrativa e nem sonhava em ser Padeira, até que certo dia recebi um telefonema do meu marido Albérico, (maior fã e marqueteiro dos meus pães), perguntando se eu faria um pão para uma senhora grávida - era a Drª Cláudia, médica do hospital em que ele trabalhava.

Hesitei, pois nunca tinha feito um pão que não fosse para familiares e amigos, mas como desejo de grávida é uma ordem, coloquei a mão na massa e fui fazer o pão. O desejo era um pão doce bem diferente dos pães convencionais de padaria. Até então, meus pães eram simples e sem recheio, a partir desse momento coloquei a criatividade para funcionar; fui ao mercado, comprei os ingredientes e resolvi rechear o pão com chocolate meio amargo ralado, cerejas ao licor de marasquino picadas e uvas passas embebecidas no licor das cerejas, e para decorar, fios de ovos finalizando com cerejas e raspas de chocolate.

Estava apreensiva, pois aquele pão era pra saciar um desejo, coloquei a insegurança de lado e literalmente coloquei a mão na massa, fiz aquele pão com todo capricho e carinho, e como sou exagerada, não fiz só um, fiz o encomendado e mais um para meu marido compartilhar com os amigos do hospital. No outro dia, ele saiu de casa todo orgulhoso, levando consigo duas belas roscas, decoradas e embaladas em papel celofane e lindos laços. E eu fiquei em casa com uma vontade louca de saber se o pão satisfez o tão precioso desejo. Será?

Passaram as horas, de forma que até me esqueci da espera, então o telefone toca com a notícia que ela, a Drª Cláudia, tinha amado o pão, e que os amigos com quem ele compartilhou também adoraram; respirei fundo aliviada, mas não deu nem tempo de me restabelecer da alegria de missão cumprida, quando ele disse ao telefone:

- Perguntaram se você faz de coco, de goiabada com queijo, de doce de leite com ameixas, frutas cristalizadas? E ele tinha afirmado que sim.

Naquela hora quase tive um surto. Falei que ele era louco, que eu não tinha estrutura em casa para fazer tantos pães, e que nunca tinha feito pães recheados, a não ser o que ele tinha levado ao hospital, e muito menos para comercializar. Depois de todo desabafo, eu respondi sabe o quê? SIM.

Desliguei o telefone, respirei, ufaaa! E aceitei o desafio...

PÃO E SAUDADE

Joquebede Toni Façanha – Psicóloga

Ter uma história é fácil, qualquer um pode ter... Mas VIVER uma grande história é diferente. É como um pão, você sente o aroma da massa, você vê a beleza com os olhos, pode até tocar... mas só vai sentir qual o verdadeiro sabor dos pães quando os experimentar. Eu pude ter esse privilégio de sentir, de experimentar e de viver intensamente uma linda história de amizade e cumplicidade com esta grande profissional Neiva Terceiro. Que alegria e prazer vê-la confeccionar os primeiros pães para a equipe do Sesi, onde eu sempre degustava as sobras maravilhosas... O destino através da distância nos separou, mas deixou no meu paladar o gostinho do quero mais, e no coração o gosto da saudade desta mulher maravilhosa que sempre foi, Neiva Terceiro. Mas como diz o livro de Richard Bach, (longe é um lugar que não existe), se desejamos estar com alguém basta ter esse alguém no coração... Não posso ir ao seu encontro, porque já estou com você. Podem os quilômetros separar-nos realmente dos amigos?... "as coisas que importam são as feitas de verdade e alegria, não as de lata e vidro". Nossa amizade é de verdade! Os anos passaram, e eu pude estar com Neiva Terceiro em Fortaleza. Muita gratidão no coração, pelo carinho com que fui recebida, fora a infinidade de pães de diferentes formas, tamanhos e sabores que me aguardavam. Que dúvida cruel, escolher, saborear e degustar os pães mais bonitos e gostosos que já conheci e comi. Mas o pão que mais me marcou foi o pão de chocolate que de volta à São Paulo, no dia seguinte entre uma mordida e outra, entre a alegria do reencontro e a tristeza da saudade, me fez desejar voltar novamente à Fortaleza para poder ao seu lado saborear aquele "pão de chocolate", único, delicioso, maravilhoso, feito por Neiva Terceiro com tanto amor. Desculpe amiga, já não sei se gosto mais de mim ou de você (música Roberto Carlos) mas sei que amo aqueles pães de chocolate.

PÃO DO DESEJO

01 quilo de farinha de trigo FINNA

05 ovos

30 gramas de fermento fresco

400 gramas de leite condensado

140 gramas de óleo de milho ou canola

300 gramas de água filtrada ou mineral

01 colher de café rasa de sal

RECHEIO

700 gramas de chocolate meio amargo ralado grosso

200 gramas de cerejas ao marasquino picadas

200 gramas de uvas passas embebecidas no licor

Misturar tudo e reservar

COBERTURA

200 gramas de fios de ovos

100 gramas de raspas de chocolate

10 cerejas inteiras

MODO DE PREPARAR A MASSA

Misturar bem com fouet em uma bacia grande, os ovos, fermento, leite condensado, água, óleo e por último o sal; acrescentar a farinha de trigo até absorver todo o líquido, sovar por mais ou menos 10 minutos, fazer uma bola e cobrir com um plástico por mais 10 minutos; depois desse descanso da massa, partir em 04 pedaços de, em média, 500 gramas cada.

Abrir cada pedaço com o rolo, fazendo uma fita, espalhar em média 300 gramas de recheio em cada pedaço, fechar, esticar e enrolar de dois em dois em formato de rosca, colocar em forma de aro 22.

Deixar dobrar de volume, em armário fechado, para não ressecar a massa,

Assim que dobrar de volume, pincele com ovos batidos e leve ao forno pré-aquecido

Temperatura média/alta para fogões convencionais ou 160 graus para forninhos elétricos. Assar em média 25 minutos.

Deixar esfriar e decorar com os fios de ovos, chocolate e cerejas.

RENDIMENTO

Duas roscas pesando em média 1 quilo e 600 gramas.

BOM APETITE!!!
E QUE TODOS OS SEUS DESEJOS
SEJAM REALIZADOS!!!

VOCÊ É O PÃO QUE VOCÊ COME!

A importância de aproveitar as oportunidades quando surgem: Aparecem muitas oportunidades na vida da gente, é importante estarmos abertos ao novo, ao desafio, e saber aproveitar as oportunidades quando elas surgem. Muitas vezes, o medo e a insegurança são os maiores obstáculos, mas só podemos saber se vai dar certo se encararmos e tentarmos, você não acha?

Fiz o mesmo ritual, fui ao mercado, comprei os melhores insumos, pensando naqueles pães que produziria e ao mesmo tempo rezando para dar tudo certo.

Chegando em casa, organizei meu espaço, que não era muito, olhei seriamente para meu fogão de 4 bocas e pensei: "Vai encarar??".

Comecei a separar e fracionar os recheios e os ingredientes que usaria na massa, pensei que seria fácil, mas não era só um ou dois pães, eram vários pães e vários sabores. Quando vi a logística, confesso, deu medo e vontade de desistir. Meu maior problema era o forno pequeno, embora aqueles fogões antigos tivessem duas grelhas que dava para assar dois pães por vez.

Passei por cima das dificuldades e pensei nas pessoas que estariam à espera dos pães no dia seguinte; ia cumprir meu compromisso e ali acabava aquela história de pães... Pensei eu.

Era uma tarde fria de inverno, aqueles invernos de São Paulo chuvosos. Coloquei a mão na massa e comecei a fazer os pães. Iniciei pelo mesmo recheio do dia anterior, de chocolate, rapidinho terminei e coloquei para crescer. Fui para o próximo, só que a escolha do recheio seguinte não foi muito feliz, "doce de leite". Apanhei demais na hora de rechear, não tinha noção de quantidades e o doce de leite era mole e por isso a dificuldade de enrolar era grande. Nessa hora pensei, "onde fui me meter?" Quando chegou na terceira massada, apareceu mais um obstáculo: "Formas!!!!" Eu precisava de mais formas para fazer as próximas massadas, ou então teria que esperar assar as primeiras para poder fazer as outras, e essa foi a solução (nesse momento vi a importância de uma logística).

VOCÊ É O PÃO QUE VOCÊ COME!

Logística: A origem da palavra logística vem do grego e significa habilidades de cálculo e de raciocínio lógico. Ao usarmos a logística no nosso dia a dia conseguimos cortar etapas desnecessárias e assim temos um aproveitamento melhor do nosso tempo.

Como o tempo estava frio e chuvoso, a fermentação demorava muito mais para agir, e não tinha armários na cozinha suficientes para colocar os pães para descansar, tive que agir através do improviso, desocupar uma parte do guarda-roupas, higienizá-lo pra usar como estufa.

Nessa brincadeira, aparecendo no meio do caminho, muitos obstáculos e mais necessidade de improvisos, fui fazendo todos os pães, varando a noite, assando os pães, de dois em dois. Ainda lembro da cena, eu de madrugada sentada em frente ao fogão, com uma manta quadriculada nas costas, esperando os últimos pães assarem, morta de cansaço; todavia, quando eu olhava os pães prontinhos, me enchia de satisfação.

Ao amanhecer, com os braços e costas doendo de tanto sovar massa, fui embalar um a um, e a cada pão embalado eu olhava e não acreditava que tinha feito tudo aquilo, e que ainda por cima estavam lindos. Estava fascinada mas, pensava eu, seria a primeira e última vez de toda aquela loucura, apesar de me encontrar grata por ter conseguido cumprir o compromisso.

Só que eu estava totalmente enganada, no final da tarde, o telefone toca e mais encomendas chegaram, acredito que nesse dia nasceu uma Padeira... E nunca mais deixei de fazer pães.

Pensei na noite anterior, no desgaste físico e nas dificuldades que tive para produzir e pedi um tempo para me organizar e atender as encomendas. Precisava de espaço, de fornos, de utensílios, de insumos a disposição. Fiz uma lista de tudo que precisava e me organizei em casa, fazendo só o que realmente dava para produzir.

VOCÊ É O PÃO QUE VOCÊ COME!

Improviso: Muitas vezes deixamos de fazer algo por não termos todas as condições favoráveis para a realização, mas se não tivermos iniciativa de olhar para o lado e improvisar, podemos deixar passar uma grande oportunidade. Os improvisos surgem para saber a real necessidade do que precisamos e até onde podemos ir, e assim vamos nos organizando no cotidiano e substituindo os improvisos por soluções.

Com mais ou menos uns dois meses produzindo esses pães todos os dias, o Albérico veio com outra proposta; como ele trabalhava no extinto Hospital do SESI, e era um dos diretores da associação de funcionários, me fizeram um convite para uma apresentação dos pães na associação. Eu, sem pensar, aceitei, só depois me dei conta da grandiosidade da proposta. Com degustação divulgada durante três dias, me dirigi à Av. Paulista, no espaço intermediário do Prédio da FIESP (Federação das Indústrias do Estado de São Paulo), onde era sediada a associação. Levei amostras de pães de vários sabores. Durante o dia as pessoas vinham, experimentavam, faziam suas encomendas. As pessoas também pediam coisas que eu nunca tinha feito na minha vida, e outras que nem sequer conhecia o sabor, e quando eu falava que não fazia, eles me desafiavam, geralmente incentivando dizendo: "com certeza você consegue". Isso bastava para que no outro dia estivesse como louca procurando a história daquele pão, como ele era feito e tudo mais... E acabava fazendo.

VOCÊ É O PÃO QUE VOCÊ COME!

Desafios: Os desafios são como molas propulsoras, que contribuem para que você veja além. Através dos desafios você ultrapassa limites e ativa seu poder de criação.

No último dia de degustação no Prédio da FIESP, dei a mim mesma o atestado de loucura; sai de lá com um bloco de pedidos lotado, de produtos que eu fazia, e outros que não imaginava nem por onde começar, e mais uma vez a logística e a organização precisavam estar presentes. Sentei com o Albérico e fizemos uma relação do mínimo que precisaria para atender aquela produção, e nessa lista estava "ele" incluso; ele tirou três dias de licença para nos organizarmos. Dei um prazo de entrega para as encomendas com datas agendadas para receberem os produtos produzidos.

Comecei procurando familiares e amigos que tivessem fogões encostados que pudessem emprestar, e consegui alguns. Nessa ocasião minha mãe estava em Belém do Pará com meu pai, e a casa deles em São Paulo era grande, com uma cozinha espaçosa e alguns quartos vagos. Adaptei a cozinha, em um dos quartos coloquei uma bancada, utilizei a geladeira para os insumos e recheios, comprei utensílios novos, e daí surgiu um espaço mais adequado para executar os pedidos. E assim, começava a desabrochar a Padeira que existia em mim.

VOCÊ É O PÃO QUE VOCÊ COME!

Fazer com o que tem em mãos: Em tudo temos que contar com nossa parceira "A Criatividade". Quando vamos iniciar um negócio pequeno, o menos é mais. É prudente procurar começar com o que temos em mãos, e de acordo com a realidade, ir adquirindo o que é necessário. Muitas vezes pensamos que vamos precisar de um certo material, e não vamos, porque não conhecemos a realidade, e então o equipamento adquirido acaba virando um objeto de decoração, sem utilidade, gerando gastos desnecessários.

Os pedidos eram muitos e os prazos curtos, Albérico teria só três dias disponíveis para me auxiliar. Nessa ocasião, eu tinha um irmão que se encontrava desempregado, então chamei-o, juntamente com a sua esposa, para ajudarem, e eles toparam.

Ficamos uma semana entre farinha, uma nova realidade, crianças, aprendizado e testes de receitas. Tudo ia adquirindo forma, a cada porção de encomendas prontas e embaladas, eu e minha cunhada Isabel pegávamos o ônibus de Guarulhos, íamos até o Metrô, e de lá até a Avenida Paulista, com caixas lotadas de pães, *croissants*, pães de queijos e biscoitinhos. O perfume ia ficando por onde passávamos, aguçando a curiosidade das pessoas; para nós era uma grande aventura, subir e descer com aquelas caixas até o nosso destino. Assim terminei esse compromisso, e mais encomendas não paravam de chegar. Agora não eram só do hospital, tinha a clientela do Prédio da Fiesp, a vizinhança do bairro que ia tomando conhecimento através do boca-a-boca. Tudo foi tomando uma proporção maior, conversamos eu e o Albérico, e vimos a necessidade de ver tudo aquilo como um negócio. Quem sabe abrir uma padaria!! Mas não entendíamos nada desse mundo da panificação, eu tinha o fascínio, o interesse, mas não sabia realmente o que estava fazendo e se estava no caminho certo.

Chamei meu irmão e cunhada para trabalharmos juntos na ideia e eles aceitaram. O Albérico continuou no SESI trabalhando, nos dando suporte financeiro e fazendo pesquisas sobre os negócios, feiras, maquinários, enfim, tudo que se relacionava ao mundo da panificação.

Comecei pouco a pouco a dar formato a ideia e foi então que começou a nossa "Gestação" rumo a profissionalizar a história do pão em nossas vidas. Já que tudo tinha começado com o desejo de uma gestante, e se aquele desejo foi realizado, o nosso também ia ser realizado, principalmente o meu, pois a minha sede era de aprender, saber o porquê daquela "transformação" que eu acompanhava desde a infância, vendo minha mãe e minha tia fazendo mágica com a farinha.

Trabalhei o pão na padaria improvisada na casa da minha mãe por quase um ano. Os maquinários eram caros, tínhamos um ponto comercial do meu pai que poderíamos usar, mas só o ponto não bastava. Enquanto isso as encomendas iam crescendo dia a dia, mais produtos surgindo, e nesse período precisei fazer uma viagem para Belém do Pará onde meu pai morava. Fomos eu, Albérico, minha mãe e o Guilherme, nosso filho com dois aninhos. Viajamos de carro durante 3 dias, uma grande aventura. Mas foi bom esse tempo juntos, pois planejamos e conversamos muito sobre o negócio que nascia.

Quando chegamos a Belém, falei para meu pai do projeto da padaria e ele se manifestou para entrar na sociedade através do meu irmão que já estava me ajudando. Aceitei a oferta, pois ele ia comprar os maquinários e nós íamos reformar todo o prédio comercial para poder funcionar uma padaria, instalações, pisos, azulejos, etc.

Retornando à São Paulo, começamos a pesquisar mais a fundo, e paralelamente trabalhávamos com as encomendas. Reformamos o ponto comercial, adaptamos para montar a padaria, colocamos azulejos, pisos, adaptamos a parte elétrica de acordo com as normas, e tudo o mais necessário. Compramos o maquinário e por ocasião dessa aquisição, nos foi ofertado um curso de uma semana para conhecer as máquinas e fazer os pães. Esse foi o meu primeiro contato com algo mais profissional, na verdade eu nem me preocupava em conhecer os maquinários, eu queria mesmo era aprender a fazer pães. Fui agraciada com um professor espetacular, com certeza ele também não estava preocupado com os maquinários, percebia-se que a sua motivação estava no prazer e amor que sentia no seu trabalho e na simplicidade com que ele ensinava as pessoas. O nome dele era Carlos, um mestre calmo, sereno, paciente e muito profissional. O curso era intensivo, chegávamos às 8 da manhã e saíamos às 18 horas, a cada dia executávamos em média 8 receitas entre panificação e confeitaria, e a cada vez que ia ao curso eu saía de lá mais encantada e apaixonada pela panificaçã. Resumindo: gostei tanto, que fiz duas vezes o curso, e posso dizer que foi um dos melhores cursos que fiz de panificação.

VOCÊ É O PÃO QUE VOCÊ COME!

A importância do aprendizado na concepção de um novo negócio: A busca pelo aprendizado é fundamental, para que você entenda e concilie-se com o novo negócio. A ideia inicial é muito diferente da realidade, por isso, conhecer sobre seu novo negócio te proporcionará uma visão diferente e inovadora, acrescentando muito mais à sua idealização.

Chegando ao final do curso tive uma surpresinha!!!! Naquela época as formas eram untadas com banha de porco derretida para que os pães não grudassem, e cada dia um aluno recebia essa função. No meu último dia de curso, não consegui untar essas formas, o cheiro da banha embrulhava meu estômago, minha cabeça doía e alguma coisa não estava normal. Dias depois descobri que estava grávida do segundo filho, estava à caminho a Giulia, eu não sabia se sorria ou se chorava, pois eu tinha me encontrado profissionalmente, tinha projetos. Até então sempre tinha trabalhado na área administrativa e não gostava, e na panificação eu encontrei uma liberdade sem fim para trabalhar, principalmente para usar a criatividade. Parei, respirei e pensei, tudo começou por um desejo de uma grávida e agora a história terá continuidade pelas mãos de outra, e assim foi, enjoos, barriga crescendo, e eu sovando a massa nas mãos. Antes sovava dois quilos de farinha, depois diminuindo para um quilo de farinha, até chegar aos seis meses de gestação e parar de sovar massas. Comecei a delegar o trabalho, e acompanhava a obra e montagem da padaria. Giulia nasceu, e com 3 meses dela nascida, nasce a primeira padaria.

A padaria tinha maquinários branquinhos, novinhos e de última geração. Nessa época já tínhamos uma ideia futurista e diferente do que víamos e imaginávamos de ser uma padaria. Da parte externa do balcão tínhamos a visão de toda a produção. Era dividida por vidraça do chão ao teto, onde o cliente podia ver os pães sendo produzidos. Os funcionários todos vestidos de branco dos pés a cabeça. O cenário aguçava a curiosidade das pessoas que vinham de outros bairros para ver a nova padaria, " A Portuguesinha", esse era o nome que demos a padaria na época.

Continuamos a atender o Hospital do SESI enquanto fazíamos o trabalho de degustação em outras unidades da entidade por toda São Paulo. Atendíamos a população local próxima a padaria. Cinco horas da manhã já tinha fila na porta para comprar o pão Francês quentinho, e durante o dia o perfume exalava pelo bairro e as pessoas chegavam para comprar as fornadas fumegantes. Mas tudo tem seu início, meio e fim. Chegando perto de um ano de padaria, vendi minha parte para meu irmão, ficando para mim a grande experiência de um começo: as dificuldades, decepções, vitórias e o aprendizado.

De repente senti que a vida estava me mostrando novos caminhos a serem trilhados, era um momento de mudança. Nesse momento decidi com o Albérico vivermos em Fortaleza, estado do Ceará, pensando na qualidade de vida das crianças, liberdade e educação para eles, e com certeza escrever uma nova história profissional.

Decisão tomada, hora de organizar e se preparar profissionalmente para a mudança de estado. Uma grande mudança, pouca experiência, muita vontade e muito que aprender. Comecei a procurar cursos para fazer em São Paulo antes de ir rumo ao Nordeste. Me inscrevi no Senai em São Paulo, em um curso de Confeitaria e Panificação, onde aprendi muitas técnicas e fiquei mais apaixonada ainda pela profissão.

SUCESSO SE CONQUISTA COM RELACIONAMENTOS

PÃO E DESEJO

Carol – Cliente

Os pães de Neiva terceiro, me despertaram os melhores e mais prazerosos desejos. Na minha gravidez, à espera do meu maior tesouro, sempre me deparava com as postagens mais deliciosas de se vê, despertando em mim os melhores desejos, desejos de uma grávida. Ao ponto de participar de uma aula, no PRAZERES DA MESA FORTALEZA em 2013, só para sentir o cheirinho do pão feito na hora. Me lembro como se fosse hoje, Pão Butiquim de Norte a Sul. Ainda hoje me lembro do cheiro, o recheio de cordeiro com cebola, nooooossa, perfeito! O pão com caranguejo, o pão de jerimum com carne de sol, o pão com cheddar... Todos são maravilhosos. Neiva sempre foi maravilhosa, todas as vezes que fui à sua loja, me recebeu com muito carinho e atenção, e sempre se preocupou quando eu falava que estava desejando os pães.

ARRUMANDO AS MALAS

Foi a parte mais difícil, deixar para trás 30 anos de convivência com familiares, amigos, o bairro que nasci e me criei, a casa onde meus dois filhos nasceram, minha mãe, meus tios amados Nena e Gelson e muitos sentimentos.

Enfim, deixar toda uma vida para trás, trazendo na mala tristezas, incertezas, medo, crença, fé, esperança, aventura, saindo da zona de conforto e enfrentando o mundo, eu, Albérico e duas pequenas crianças.

Mas mudanças fazem parte da vida, e com elas nós crescemos e enxergamos novos horizontes, o risco e a coragem estão sempre presentes e faz parte do crescimento pessoal de cada um de nós, por isso encerro esse capítulo poetizando o Mestre Raymond Calvel:

Raymond Calvel,
Grande Mestre da Panificação Francesa.

El pan, es el trigo que sembramos y el grano que bajo la tierra germina.

El pan, es la planta que crece, la espiga que en primavera emerge de la tierra.

El pan, es la espiga que florece, la flor fecundada, el grano que madura.

El pan, es la cosecha, el grano trillado, el trigo ensilado.

El pan, es el trigo en el molino, separado de sus plumas, el grano molido.

El pan, es el trigo transformado en harina, la molienda, el cernido, el resultado transportado a la panadería.

El pan, es el panadero trabajando, la amasadora en acción, los fermentos, la mesa.

El pan es la buena masa, cuidadosamente amasada y meticulosamente fermentada.

El pan, es la masa en todo su esplendor, dividida y pesada, los pastones cuidadosamente bollados.

El pan, son los pastones correctamente fermentados, que finalmente, serán bien horneados.

El pan, son todas estas condiciones... Trigos de calidad, molineros capaces, panaderos diestros y sobre todo motivados, que saborean con orgullo el producto de su trabajo.

El pan, el buen pan, de trigo puro......

Es así!

Primero la naturaleza, luego los hombres.

Hombres que respetan la naturaleza de las cosas, las reglas del arte, atrapados por su oficio.

El pan es todo esto, esta es su historia, este es, no dudemos, su futuro.

Raymond Calvel; obra "El sabor del pan",2007.

Planejamento, criatividade e inovação

"Quando Dra. Cláudia perguntou se fazíamos pão sob encomenda, no mesmo momento idealizei um excelente negócio para nós, eu e Neiva. Havia terminado um desafio que o Hospital me havia entregue, de montar toda estatística organizacional utilizando a tecnologia, que até então era feita manualmente e de forma individual. Projeto novo e que acabou sendo muito útil no nosso início. Primeiro alinhamos os custos de todos os produtos acabados e então percebemos que poderíamos iniciar algo novo e moderno para a época. Fizemos o planejamento físico, projetamos a loja, como iríamos funcionar e o que queríamos atingir, que tipo de publico desejávamos, qual diferencial, e tudo que de novo pudéssemos fazer. No final montamos uma pequena indústria de pães onde víamos exatamente o planejado tomando forma." Padaria não é Padareca!

Albérico Terceiro

capítulo 2

TEXTURAS, SABORES E AROMAS NASCEM NA FUSÃO CULTURAL

“E até quem me vê lendo jornal, na fila do pão, sabe que eu te encontrei... E ninguém dirá que é tarde demais!!

Los Hermanos

A parte mais difícil foi o dia que a transportadora chegou em minha casa e começou a desmontar a mobília, embalar, carregar, e aos poucos eu via alguns anos de felicidade vividas ali naquele cantinho ficando só nas lembranças, os momentos em família, minhas duas gestações, reuniões com amigos queridos. Passava um filme na minha cabeça, e eu pedia a Deus que estivesse fazendo a escolha certa. Mas naquele momento aquela era minha escolha e no fundo do meu coração, apesar de todo o medo, eu sabia que era a escolha certa.

Quando a casa ficou vazia, levei as crianças para se despedirem da casa. A Giulia, muito pequenina, abriu as mãozinhas e falou: "Cabô tudo mamãe, cadê?", então contei pra eles uma historinha, que íamos fazer uma linda viagem, conhecer novas pessoas, novos amiguinhos, morar em nova casa e sempre que pudéssemos viríamos passear na casa da vovó.

A viagem para Fortaleza parecia a viagem mais longa da minha vida, chorei o voo todo, pensando na saudade das pessoas que eu amava e que não sabia quando poderia vê-las novamente. Chegando em Fortaleza, nos hospedamos na casa dos tios do meu marido que residiam no interior, ninguém sabia que estávamos indo para morar, pensavam que estávamos de férias, queríamos fazer surpresa, pois nossa mudança só chegaria depois de 15 dias. Nesse período saíamos todos os dias para procurar um imóvel para alugar, até que encontramos um. Chegou nossa mobília, montamos a casa em Fortaleza e levamos os tios para conhecer nossa casa; foi uma surpresa total, pois ninguém imaginava, nos chamaram de doidos.

Mas acredito que todos nós devemos seguir nossas intuições e respeitar nossas vontades, e naquele momento a minha vontade era de mudança, tinha o medo do novo, a diferença cultural, adaptação a uma nova vida, eu tinha muito o que aprender.

Depois de instalados, crianças matriculadas na escola, seguindo uma rotina, era hora de começar a desbravar o Ceará. Albérico saía todos os dias para procurar trabalho, e então começaram as preocupações. Na época, a desigualdade salarial entre Sudeste e Nordeste era gritante, e na profissão dele os salários em Fortaleza não davam para manter uma família.

Tínhamos uma reserva financeira e o dinheiro da venda da padaria que recebíamos parcelado mês a mês. A casa que alugamos era grande, tinha um salão comercial pequeno, que na verdade era uma garagem, e começamos a pesquisar alguns maquinários para fazer algum produto e comercializar ali mesmo.

Não conhecíamos o mercado, andando nas padarias e mercearias dos bairros vimos que os produtos que fazíamos eram totalmente diferentes do que eram ofertados na cidade, então surgiu a dúvida: "Será aceito um novo produto? Por onde começar?"

Confesso que me senti perdida, com medo de arriscar. Começamos a fazer o que na época era febre nas mercearias e padarias: mini bolinhos fofos para café. Compramos uma batedeira industrial, um pequeno forno de lastro, muitas forminhas, e um carro velho para sair vendendo nos bairros.

Passava o dia produzindo, e o Albérico juntamente com o Tio Raimundinho (que conhecia muito bem os bairros) saíam vendendo nas "Budegas". Vendiam todos os bolinhos, mas geralmente no fim do dia dividiam o lucro com o carro velho, que geralmente "Dava o prego" (gíria nordestina quando o carro quebra na rua).

Timidamente comecei a fazer alguns pãezinhos; no começo os doces, iguais aos que fazia em São Paulo, mas aos poucos fui percebendo que o público tinha a preferência por pães salgados, então comecei a fazê-los. De repente já via a vizinhança comprando, atendendo o mercadinho ao lado de casa, e também outros pontos comerciais.

SUCESSO SE CONQUISTA COM RELACIONAMENTOS

VOLTAMOS PORQUE TEM PÃO

Nívea e Danny

Sim, também caí nos encantos dessa padoka feita por mãos de alegria. Foi numa tarde, há muitos e bons anos atrás, na sala de espera de um consultório médico, que pela primeira vez ouvi falar em Neiva Terceiro. A demora às vezes é santa, a gente é que não percebe. E, de repente, um encarte de jornal me chamou a atenção, com sua capa inspirada em pães artesanais. Falava de Neiva Terceiro, a artesã, que, para minha felicidade, fazia seus pães a poucas quadras da minha casa. Como eu não tomei conhecimento antes dessa padeira? Justo eu, fã de pães, de boa gastronomia?! Não demorou muito e, junto com minha companheira, Dany, fui ver e saborear de perto a magia dos pães de Neiva, a casa maravilhosa, os vinhos que o Albérico Terceiro indica, e muito mais que isso, a simpatia e a dedicação com que eles recebem cada um de seus clientes. Difícil não voltar, eu direi impossível. Voltamos para levar um parente, um amigo, para buscar mais pão, mais vinho. Voltamos porque chegou o Natal e tem panetone de bacalhau, de frutas, de chocolate. Porque chegou a páscoa e tem pão de coco, porque vieram as férias e estamos com mais tempo. Voltamos porque tem sopa de jerimum, porque tem crostata de parmesão, de gergelim. Voltamos porque lá é que tem o nosso vinho preferido, e o Albérico já sabe o tipo de que gostamos. Ah! Como eu pude esquecer a sardella? Vou ter que voltar. E a Neiva me dirá, com aquele sorrisão vermelho e cheio de vida, que acabou de sair uma fornada de rosca de peperoni! E eu não vou resistir! Também não vou fugir da sagrada degustação, pois ninguém haverá de ser julgado pela gula de um delicioso pão com azeite, ou de uns grissinis mais crocantes que o outro. E enquanto você se delicia, você bate aquele papo gostoso com a Neiva e o Albérico, como amigos que vocês já se tornaram, sem perceber. E eu sempre me pergunto: como eles conseguem fazer isso, criando um modo tão único de empreender? Como uma pessoa participa de eventos renomados, ministra cursos, é conhecida e premiadíssima no país, e faz você se sentir a pessoa mais importante quando chega na Padoka e ela te recebe com alegria e simplicidade? Sim, sempre me pergunto isso e continuo encontrando a Neiva a receber seus clientes como quem recebe seus amigos, vizinhos e familiares. Para essas perguntas eu não tenho respostas complexas ou teóricas. O que sei é que a Neiva Terceiro só podia fazer pães mesmo, porque nada é mais acolhedor e alimento do que pão. Na minha história com Neiva e Albérico Terceiro, tem também a inspiração que minha Dany e eu encontramos para estudar gastronomia e, para que um dia, quem sabe, possamos nos tornar empreendedoras, com essa certeza de que, para ter sucesso, é preciso trabalhar muito e amar, ainda mais, o que se faz, para quem se faz.

Fui procurar os Moinhos de Farinha de Trigo, que na época ofereciam muitos cursos juntamente com o Senai, e comecei a conhecer como eram os pães da região, um pouco da cultura do pão, que ainda não era tão forte como no sul do país. Senti que ia ter um pouco de dificuldade, mas eu tinha me encontrado na profissão, era o que eu tinha escolhido, então decidi conhecer bem os moinhos que ofertavam os cursos e sempre que eu tinha oportunidade estava lá conhecendo um pouco da parte técnica da farinha, a sua transformação, utilização e a cultura dos pães no Ceará. Fiz boas amizades, troquei ideias com pessoas que já tinham na época panificadoras e outras que também estavam começando.

VOCÊ É O PÃO QUE VOCÊ COME!

Onde encontrar motivação para um recomeço? Recomeçar é uma arte e não podemos deixar de acreditar em nossos sonhos e nosso potencial, todo recomeço vem com uma bagagem de experiências e nelas encontramos motivação para fazer mais e melhor. Recomeçar?? Quantas vezes for necessário!!

Começamos a procurar um ponto comercial mais visível, mas não conhecíamos a cidade nem o público para nossos produtos. Nesse meio tempo, pessoas que sabiam da nossa procura nos ofertavam oportunidades de negócios fora da área metropolitana de Fortaleza, e nós, sem experiência e sem conhecer muito bem o interior do Ceará aceitamos. Não foi uma boa experiência, tivemos perdas, conhecemos um mundo novo, pois até aquele momento vivíamos em uma redoma, protegidos, e de repente estávamos ali num mundo desconhecido reaprendendo a cada dia com as dificuldades que eram muitas, uma grande adaptação a tudo que nos cercava. De repente estávamos fazendo comida, marmitas, serestas noturnas, trabalhando dia e noite e o pão se tornou um coadjuvante na história, e tudo aquilo estava me entristecendo. Todo aquele sacrifício não tinha nada a ver comigo, eu queria fazer pães!!!!

VOCÊ É O PÃO QUE VOCÊ COME!

Foco no trabalho!: Quando queremos muito alguma coisa, temos que ter foco. No meu caso o foco sempre foi os pães, porém, em volta da arte de fazer e desenvolver os pães, têm muitas outras coisas: planejamento, conhecimento, disciplina, e se você não dominar um pouco de cada coisa, você acaba se perdendo.

Voltamos ao ponto de partida, começamos a procurar uma casa em fortaleza e um ponto comercial para transferir a padaria e reiniciar o trabalho. Analisamos as padarias locais e vimos que era um seguimento que ainda estava engatinhando, o mercado ainda não estava tão aberto ao novo. Então decidimos que a padaria ia ter um *self service* e pizzaria, pois só padaria não ia nos dar o retorno que queríamos. Insistimos por uns dois anos e o retorno com a panificação cada dia menor; tínhamos uma ótima clientela no *self service* e na pizzaria, mas não chegava nem perto da realidade do movimento que estávamos habituados com a padaria de São Paulo.

Analisando, começamos a perceber que as pessoas estavam habituadas a comprar pães em supermercados, não tinham o hábito de ir a padaria todos os dias e mais uma vez fui tirando o foco dos pães.

E assim foram 02 anos tentando me encaixar na panificação no Ceará sem muito êxito, os sonhos continuavam, a vontade de aprender e empreender era grande, mas sentia que era o momento de recuar e conhecer melhor a terra que eu tinha escolhido para viver e que estava me acolhendo.

Fechamos a padaria, era a hora de conhecer o mercado de fato; então me perguntei: Onde estavam meus clientes? Quem era meu público alvo? Que produto eu tinha para oferecer ao mercado? Qual o diferencial eu ofereceria?

VOCÊ É O PÃO QUE VOCÊ COME!

O valor de um planejamento estratégico no desenvolvimento do seu negócio: Quando os erros surgem, temos que fazer os acertos e começamos a ver a importância de um planejamento estratégico no desenvolvimento de um negócio. Acredito que o nosso maior erro foi não conhecer o mercado local, hoje seria diferente, mas alguns anos atrás o mercado era muito carente e a realidade era outra, a cidade vista pela visão de uma pessoa recém-chegada é a mesma de um turista, cheia de encantos, você cega para os problemas locais e só com o tempo vai conhecendo o terreno onde pisa e se encaixando.

Em menos de um mês, distribui currículos e fui chamada para seleção em padarias, confeitarias e *buffets*, todos grandes nomes no mercado em Fortaleza.

Na época, escolhi uma conceituada confeitaria e trabalhei lá por quase um ano, gerenciando lojas e conhecendo melhor o mercado cearense. Depois desse tempo fui para outra empresa no seguimento de *Buffet* e trabalhei na venda de festas com atendimento personalizado ao cliente. Nas duas empresas queria muito trabalhar na produção, mas na época eles me queriam no atendimento, talvez por causa da minha facilidade no trato com as pessoas, embora, acredito, que se hoje soubessem do meu talento na produção, teriam me chamado para essa atividade, e eu talvez não estivesse aqui escrevendo esse livro, talvez estivesse lá fiel, criando para eles. Mas cada um tem que viver sua história, e no tempo que passei por essas duas empresas, aprendi muito sobre produtos e clientes, e comecei a ver o Ceará com outros olhos. Deixei o sonho da padaria na gaveta e tive ainda mais um trabalho na área administrativa a convite de uma amiga. Não estava feliz com o que estava fazendo, mas sempre acreditei que, o que nos pertence, pode demorar o tempo que for, mas uma hora ele acha uma brecha no nosso caminho para nos encontrar e se realizar, acredito também que tudo que fazemos por mais simples que for, tem sua grandeza e aprendizado.

Desde o fechamento da padaria convencional até surgir outra oportunidade com a panificação, muitas coisas fiz para ajudar em casa nas despesas, minha mente sempre permaneceu aberta e criativa. Fiz amizades, desliguei o foco da padaria e fui ser dona de casa, fazer artesanato, vender água em dias de provas de vestibular na porta dos colégios, vender artesanatos na feirinha da CEART como artesã, fazer e vender velas e vasos de flores na porta do cemitério em dia de finados, feitos por mim e uma amiga, até levava meus filhos para ficarem comigo e eles me ajudavam.

Teve uma época em que nós morávamos em um apartamento, meu filho Guilherme tinha uns 8 anos de idade, e ele era sempre muito presente e atento em tudo que eu fazia. Um dia ele chegou com uma sugestão: "Mãe, aqui no prédio tem uma placa verde (flanelógrafo) que as pessoas colocam bilhetinhos que estão vendendo coisas, porque a senhora não vende pizza?" Como eu tinha uma fatiadora de frios ainda da antiga padaria e também uma balança, resolvi aceitar a sugestão do pequeno, que acabou dando certo. Anunciei que faria as pizzas e começaram a chegar as encomendas dos moradores do prédio. Além das pizzas, comecei a fazer salgadinhos e pães pequenos durante a noite; e pela manhã, saía pelas ruas do bairro com meu sogro, eu com uma cesta de pães e ele com o isopor com os salgadinhos, pois na época meus sogros moravam conosco; e convidava meu sogro, um português comunicativo e bom de papo, para sair às ruas comigo oferecendo os quitutes nos comércios locais, consultórios, lojas e oficinas. Quando percebi, estava com uma boa clientela na rua, que me ligava e eu providenciava e entregava, assim não tinha que sair todos os dias. Foi uma grande aventura e aprendizado. Logo depois mudei para minha casa, que moro até hoje, e deixei a minha clientela de rua, mas valeu muito a experiência. Muitas pessoas conhecidas perguntavam se eu não tinha vergonha de fazer aquilo tudo, sair na rua vendendo, me expondo, e eu respondia que não, tudo era aprendizado e eu curtia enquanto também ensinava aos meus filhos não terem vergonha de nada, pois todo trabalho tem sua grandeza e valor.

VOCÊ É O PÃO QUE VOCÊ COME!

Quão importante é somar outras experiências, em busca de mudar o olhar na construção do seu negócio? Na procura de entender o seu negócio, toda experiência soma, seja sua ou de outro profissional, tudo que você faz paralelamente uma hora ou outra vai ser de grande valia para você aplicar no seu empreendimento.

RETORNANDO MAIS FORTE

Como falei anteriormente, tudo que é seu vem ao seu encontro, e depois de muita labuta, mais uma vez entra a mão do Albérico na história, viabilizando o retorno definitivo aos pães. Há uns 16 anos atrás, ele trabalhava em uma loja especializada em vinhos, onde precisavam de pães bem naturais, sem conservantes, para a degustação dos vinhos, que eram apresentados aos melhores restaurantes da cidade. Comecei a fazer os pães para essas degustações e sempre recebia uma resposta positiva, como também o interesse dos donos de restaurantes em ter meu pão em seu *couvert*. Nessa época geralmente serviam salgadinhos, torradas e pão de queijo, era muito raro os restaurantes oferecerem *couvert* com pães, tinham uma certa resistência nessa prática.

Nesse momento minha cabeça começou a fervilhar de ideias e medos também, pois quando você sai de um negócio que não deu muito certo de primeira vez, você acaba evitando a próxima oportunidade. Mas medos à parte, entramos em comum acordo, eu e o Albérico, resolvemos investir nessa nova fase. Agora mais maduros, conhecendo as dificuldades do nosso estado (Ceará), sabendo um pouco mais acerca da cultura local e sobre o quanto tínhamos que trabalhar em relação a inovações na área de panificação, pois o campo estava aberto e as pessoas estavam receptivas às mudanças no mercado. E por fim, agora estávamos ao lado do público certo para absorver o meu trabalho.

Comecei a pesquisar na internet algo sobre pães artesanais e na época não tinha nada relevante sobre o assunto, nenhuma empresa no seguimento, somente padarias convencionais. Comecei a procurar fora do país e vi que tinha algumas matérias, porém, nada sólido que eu pudesse me aprofundar. Nessas pesquisas me deparei com o *site* da Italian *Culinary Institute for Foreigners* - ICIF, que estava em parceria com a UCS (Universidade de Caxias do Sul), ofertando cursos de Panificação Italiana. Entrei em contato com a escola, tirei dúvidas e fiquei com muita vontade de fazer o curso, mas, na época era um investimento muito caro para minha realidade, uma viagem para Caxias do Sul/RS, era quase que uma viagem internacional em termos de custos, hospedagem e inscrição para o curso.

Mas era o momento propício para investirmos e darmos o pontapé inicial, foram muitos sacrifícios, mas conseguimos viabilizar o sonho do curso. Fui para Flores da Cunha/ RS, onde ficava a Escola de gastronomia, e lá tive o prazer de participar da primeira turma do curso de Panificação Italiana, eu nem acreditava, mas estava acontecendo.

Foram dias de aprendizado e troca de experiências, pois no grupo tinha empresários, donos de grandes padarias, vozinhas de colônias alemãs, donas de casa, dentistas, advogados, era um grupo tão eclético e ao mesmo tempo unidos pela mesma paixão: A PANIFICAÇÃO. Tem pessoas do grupo que até hoje tenho contato. Depois de tantos anos, cada um seguiu um caminho, uns com os pães, outros trilharam outros seguimentos, mas a experiência daqueles dias foram maravilhosas. Saí de lá com a bagagem cheia, a cabeça cheia de ideias, com vontade de pôr em prática o aprendizado dentro da realidade do meu trabalho.

VOCÊ É O PÃO QUE VOCÊ COME!

O que é potencial de aprendizagem e sua aplicação nos negócios? Quando falo da realidade do meu trabalho, quero dizer que muitas vezes fazemos cursos e pensamos que vamos aplicar aquilo que aprendemos na íntegra, mas nos enganamos. Tudo deve ser analisado de acordo com seu público, sua cultura, e se os seus clientes em potencial estão preparados para receber o diferente, muitas vezes temos que fazer ajustes à nossa realidade para ser aceitável.

De volta pra casa montei um laboratório improvisado, e comecei a fazer testes com as técnicas aprendidas, criei novas receitas pensando nos restaurantes e no público que poderia atingir.

Já não dava para sovar todas as massas à mão, precisava de uma pequena masseira, mas a grana estava curta devido o investimento da viagem; pedi socorro ao meu pai para ele me emprestar o dinheiro e eu pudesse comprar a primeira masseira. Na hora ele me socorreu, e eu paguei tempos depois comprando dois pneus para a Van que ele tinha na época, coisas de pai e filha, e até hoje tenho essa masseira que é meu xodó.

Antes de começar a fazer os pães em casa, um colega fechou um restaurante e como não tinha onde guardar os equipamentos do mesmo, oferecemos a ele nosso sótão e um sítio da família para guardar enquanto ele vendia com calma os equipamentos. Ele passava seis meses no Brasil e os outros seis meses na Suíça trabalhando em uma estação de esqui. Quando fechamos a nossa padaria convencional, vendemos nosso maquinário a preço de pechincha por não ter onde guardar, então sabíamos o que ele estava passando, e ele ficou muito grato.

Em uma das vindas para o Brasil ele foi em nossa casa, pois tinha vendido as mesas do restaurante. Ao entrar no quintal, ele sentiu o aroma dos pães, e quando eu falei pra ele que estava fazendo pães para restaurantes, ele ficou maravilhado e me ofereceu emprestado o forno que estava guardado no sítio. Não me fiz de rogada e logo aceitei, peguei o forno e reformei, e ajudou muito, pois o forno que eu tinha era pequeno de um lastro, e o que ele me emprestou a capacidade era quatro vezes maior de produção. Era a oportunidade ideal para retornar ao meu sonho, e apresentar ao mercado algo diferenciado e inovador, pois os pães que estava fazendo não tinha nada igual no mercado.

A cada degustação mais pessoas interessadas surgiam, começamos atendendo pequenos restaurantes, e um indicava o outro. De repente na cidade reabre um restaurante que foi um grande sucesso no passado, o Trapiche, e o Chef Alejandro, que estava à frente da cozinha, me convidou para desenvolver o couvert da casa, fiquei muito feliz, era um desafio e tanto, pois era uma casa muito movimentada e teria muito trabalho a fazer. Nosso couvert no novo restaurante foi um sucesso e se tornou o nosso cartão de visitas, através dele outros restaurantes do mesmo nível nos procuraram e começamos a investir em restaurantes. Vi a oportunidade de criar e introduzir um novo nicho no mercado. Nossa cidade tem ótimos restaurantes e ainda conta com o turismo intenso, principalmente o turista internacional que já traz consigo a cultura do pão inserida no cotidiano e sinalizavam a falta de pães na mesa dos restaurantes, como já mencionado.

VOCÊ É O PÃO QUE VOCÊ COME!

Identificar o que está faltando no mercado... é importante para a abertura de um novo negócio, porque quando conseguimos identificar o que falta, podemos criar a partir dessa demanda, ofertar novidades, abrir um novo mercado com novas oportunidades e não investir a partir de um mercado saturado.

Enquanto isso, a cada degustação na loja de vinhos, mais pessoas conheciam meu produto e eu conseguia abertura para oferecer os pães e divulgar a ideia de um *couvert* diferenciado em seus restaurantes.

Fabricava os pães em casa, começava as 3 da manhã e terminava às 16 horas, depois de pronto embalava, carregava o carro e começava as entregas. Nessa época eu fazia os pães e a Nete (na época nossa empregada doméstica e que atualmente é a nossa Gerente de Produção) me auxiliava. Ela enfrentava algumas dificuldades, pois era do interior do Maranhão e tinha pouco conhecimento em leitura e cálculos, e no ramo da panificação usamos frequentemente a matemática na produção. Porém, ela era muito interessada e queria aprender, então começamos a investir na sua educação. Voltou a estudar, e assim tornou mais fácil o seu aprendizado na arte dos pães.

Enquanto eu saía para entregar os pães, ela, a Nete, deixava tudo organizado para a madrugada seguinte. Eu chegava das entregas em casa por volta das 21 horas, era muito cansativo, mas o retorno que recebia no dia a dia, da satisfação dos restaurantes, e o boca a boca, tanto entre os donos de restaurantes, como deles para os próprios clientes que se serviam do *couvert*, tudo isso era gratificante demais. A cada dia aumentava nosso volume de clientes, em pouco tempo, estávamos analisando a possibilidade de comprar alguns maquinários leves para agilizar a produção, e assim fizemos. Compramos uma modeladora que facilitava bem mais a produção e já não precisávamos começar às 3 da manhã e sim às 5 da manhã.

VOCÊ É O PÃO QUE VOCÊ COME!

Quando e porquê investir? Conforme aumentava nossa demanda, investíamos em equipamentos e utensílios que otimizavam nosso tempo de produção e assim tínhamos tempo para pensar e criar novos produtos e oferecer novidades aos nossos clientes, todo investimento visa um crescimento.

Com o aumento da produção me deparei com outra situação que estava me incomodando: restaurantes funcionam aos domingos e os domingos eram reservados para a nossa família, e disso não abríamos mão, então veio mais uma ideia, congelar os pães!!!!

Vender essa ideia foi a parte mais gostosa do desafio, fazer entender que um pão com todas as técnicas corretas, desde o preparo até o congelamento, preserva toda a característica do pão fresco, e que a perda na cozinha era quase zero em relação ao pão do dia. Com muita confiança e perseverança consegui introduzir o pão congelado no mercado de Fortaleza, algo que na época era comum na Europa e nós fomos pioneiros no Ceará.

Passamos uns 6 meses trabalhando em casa e mais uma vez demos um pequeno passo. Alugamos um pequeno espaço em um bairro mais próximo aos clientes, pois minha casa sendo muito afastada da área que atendo, os custos com gasolina e o desgaste físico eram grandes; aquele nosso cliente amigo que emprestou o forno, retornou, e na hora certa me deu o forno de presente, então aproveitei a mudança e o troquei, na loja, por um forno maior que atenderia minhas necessidades nessa nova fase de crescimento. A Nete, meu braço direito em casa com as crianças, foi demitida como empregada doméstica, e foi trabalhar como auxiliar de produção na nova fase que se iniciava.

Nesse novo ponto, os clientes que frequentavam os restaurantes estavam nos descobrindo, e começaram a ir com frequência comprar os pães. Então surgiu outro desafio, pois não tinha como atendê-los no novo espaço, por ser quente e pequeno demais, era desconfortável.

Certo dia, resolvi fazer algumas cestas com pães diferentes e embalar para presente, para presentear o patrão do Albérico e mais dois amigos clientes em comum, só não sabia que essas cestas iam se multiplicar. Um dos presenteados, nosso amigo Luiz Eduardo, adorou a ideia e foi logo encomendando para presentear os amigos dele. E isso se transformou numa corrente, quem recebia encomendava para outro e assim os pães foram conhecidos como um "presente de requinte". As cestas eram montadas sempre com muito capricho, decoradas com toalhinhas de artesanatos da terra e outros mimos, encantava quem recebia.

Estava próximo do Natal e acabara de ganhar um *Site* lindo do nosso amigo Ricardo Avelar. Comecei a divulgar por *email* as cestas e o *Site*, pois na época não existia *facebook* e outras ferramentas para divulgação como existem hoje. O resultado foi espetacular, pessoas interessadas e encomendando às cegas, sem ao menos conhecer meu trabalho; ficamos um ano nesse novo espaço que já não nos cabia mais. A cada dia mais e mais clientes chegavam, pessoas físicas e jurídicas, já não entregava mais os pães no meu *Fiat Uno*, trocamos por uma *Fiorino* novinha, o cheirinho de carro novo misturado ao cheirinho de pães frescos, dava gosto.

Quando começamos a procurar um novo espaço, eu pensava em algo diferente do que existia no mercado, não queria "mais uma" padaria, queria um lugar que trouxesse aconchego, e que as pessoas que trabalhavam comigo e os clientes, se sentissem em casa. A procura por nossos produtos era uma crescente, mesmo sem loja física, e tendo só o espaço da produção e o *site* que montamos. Então decidimos alugar uma casa grande, onde montamos o espaço de produção, com mais maquinários novos. Contratamos mais funcionárias, pois devido a feitura dos pães artesanais e as miniaturas envolverem delicadeza, minúcia e paciência, em nossa produção, até hoje, só trabalham mulheres. Dividimos a casa em setores: estoque, embalagem, área de produção e área de vendas para pessoas físicas. Como ainda não tínhamos empresa aberta, minhas notas fiscais eram tiradas como artesã por se tratar de um produto artesanal. Nesse momento valeu a pena as velas que fiz no passado, pois devido àquele tempo, tinha minha carteira de artesã que me possibilitava emitir as notas fiscais.

Como esse espaço era maior, eu tinha mais tempo para ensinar as "meninas" e passar o ofício de Padeira para elas. Sempre dei a preferência por pessoas inexperientes, que não conhecessem o ofício, para então as capacitarmos, e moldarmos à realidade do nosso trabalho e também prevenimos quanto aos vícios de trabalhos anteriores. Em poucos meses elas já estavam dominando a confecção dos pães que fazíamos para os restaurantes, e assim eu tinha mais tempo para estudar e desenvolver novos produtos.

Comecei a pesquisar cursos em São Paulo, e sempre que tinha oportunidade estava lá, fazendo algum curso para agregar conhecimento e trazer novidades. Fui a São Paulo várias vezes, à procura de insumos diferenciados para desenvolver pães e novas receitas. Também fui a cursos para me especializar na área de congelados. Quanto mais eu entendia e estudava, mais ânimo e vontade de fazer coisas novas eu sentia. As ideias fervilhavam na minha cabeça, e da cabeça ao papel, e do papel à execução, e assim, a empresa foi crescendo gradativamente em qualidade de produtos e atendimento personalizado.

SUCESSO SE CONQUISTA COM RELACIONAMENTOS

PÃO EM FAMÍLIA

Cibele Pinheiro

Produradora do Estado do Ceará aposentada

Em maio de 2007 fui comprar vinho para uma festa e conheci o Sr. Albérico na loja de vinhos que ele administrava. Conversamos e ele contou que sua mulher fazia "pães caseiros", inclusive integral e deu-me o cartão de "Pães da Neiva". Liguei com o objetivo de fazer uma encomenda e do outro lado da linha estava uma padeira muito simpática e receptiva. Fiz o 1o. pedido de pães integrais e a entrega foi feita pela própria Neiva junto com o Gui e a Giulia, seus dois filhos. Ela não era empresária de direito, mas sua alma sim e o seu atendimento cativante e seus pães deliciosos me conquistaram. Passei a ser cliente assídua e ainda recebia pães deliciosos, um sorriso sempre largo dela e do Gui, e via a bonequinha tímida da Giulia. Emociono-me com essas lembranças, pois conheci os "Pães da Neiva" e a Família Terceiro, exemplo de uma padeira fantástica, cuja trajetória acompanho, vendo toda sua garra, determinação e amor pelo seu ofício, tendo sempre do seu lado o "Beco" (Albérico) e as crianças. Com todo sucesso de hoje, empresária de ponta no seu ramo, ela está sempre em busca de mais conhecimento e a toda momento vemos lançamentos na sua querida "Padoka". Sempre fico feliz a cada empreitada e sucesso da "Neiva Terceiro, Pães Artesanais", com o querido Albérico, Nete e todos da equipe pelo carinho e amor com que fazem deliciosos pães. Neiva Terceiro, mesmo sendo empresária de destaque, continua a pessoa especial que conheci há nove anos atrás, com alegria, conversa fácil e atendimento carinhoso.

Padoka

Muitas vezes quando fazia minhas postagens nas redes sociais, me referia à padaria com o apelido carinhoso de Padoka, e os clientes quando viam minhas postagens, perguntavam se Padoka era o nome da Padaria. Eu explicava que Padoka era um termo usado em São Paulo quando íamos a uma padaria, sendo que o paulista tem uma paixão por padaria e faz dela uma extensão de sua casa. Então os nossos clientes acabaram batizando a nossa padaria artesanal de Padoka também, por ser um local aconchegante, onde quem chega sempre é recebido com o agrado de um pãozinho para degustar, e um bom papo, onde os clientes se misturam sem se conhecer e sentam ao redor de uma grande mesa, e uns indicam os seus pães prediletos aos outros, sem que eu tenha que fazer algum esforço para apresentar os produtos, e acabam fazendo amizade entre si, naquele aconchego e escolha dos pães.

PÃO DE CALABRESA

INGREDIENTES

1500 gramas farinha de trigo FINNA

20 gramas fermento

SOSAL LIGHT 20 gramas

Açúcar 80 gramas

Leite em pó 40 gramas

Ovos 100 gramas (02 ovos)

Azeite 50 gramas

Água 750 gramas

Calabresa triturada 200 gramas

Orégano a gosto

MODO DE FAZER

Misturar fermento e farinha e ir acrescentando os demais ingredientes exceto a água e a calabresa.

Colocar água aos poucos até obter uma massa macia e lisa.

Acrescentar a calabresa e sovar a massa por pelo menos 10 minutos.

Deixar descansar a massa coberta por 20 minutos, fazer bolinhas de 40 gramas .

Deixar dobrar de volume e assar em forno médio preaquecido por mais ou menos 20 minutos.

Inovação contextualizada

"Neste recomeço, algo surgiu que se tornou um divisor de águas para nós, nos impulsionou a novamente sonhar: INOVAÇÃO! Fortaleza, na época e agora, é uma cidade onde enxergamos uma enorme disposição para o novo e principalmente em relação à qualidade. Vimos um potencial incrível na cidade, sinalizando a carência pela qualidade, tanto de produto quanto de serviço. Encontramos o público-alvo e com isso voltamos ao básico de todo empreendimento que está ainda na mente de seus criadores: planejamento, estudo de mercado, objetivo para atingir o público desejado e, claro, atitude para começar. A importância de uma planilha de custo é fundamental para iniciar, pois sabendo exatamente os gastos, por menores que sejam, ajuda o empreendedor a se direcionar e dar mais segurança em suas decisões. Fica a dica!". Padaria não é Padareca!!!

Albérico Terceiro

finna
finna

capítulo 3

PONDO A MASSA PARA LEVEDAR: DA PROFISSIONALIZAÇÃO À EXCELÊNCIA

“ *Olhei noutro sentido, e pude, deslumbrado,*
Saborear, enfim,
O pão da minha fome.
— Liberdade, que estais em mim,
Santificado seja o vosso nome.

Miguel Torga

Certo dia recebi um telefonema do nosso amigo Luiz Eduardo, comunicando que uma pessoa do Jornal *O Povo* (conceituado jornal da cidade) entraria em contato comigo para fazer uma matéria sobre o meu trabalho. Fiquei eufórica, pois "Como seria fazer uma matéria sobre pães?" Ele me explicou que estava almoçando com o amigo jornalista, e que o amigo falou da falta que sentia de pães no *couvert*; foi quando o Eduardo falou que era porque ele não conhecia os pães da Neiva, e contou sobre o meu trabalho a ponto de despertar curiosidade do jornalista. No mesmo dia recebi um telefone de uma pessoa. Do outro lado da linha estava IVONILO PRACIANO, dono de uma voz que tem sorriso e de uma energia ímpar; recebi o convite de ir ao jornal, conversar com ele, falar de minha trajetória e deixar fotografar alguns pães. Exagerada e farta que sou, compareci no dia marcado com uma padaria ambulante, levei muitos produtos, pães recheados, decorados, *muffins*, pães rústicos; montei uma bela mesa, que impressionou as pessoas que passavam pelo *Studio*. Foi uma grande festa!! Saindo de lá, passavam-se os dias e eu não me continha de curiosidade para saber o que ia ser escrito, imaginando as fotos que seriam divulgadas, curiosidade total.

Enfim chega o dia da Edição do *Buchicho*, nome do caderno em que ia sair a coluna do querido Ivonilo. Acordei cedo e fui para a padaria, comprei o jornal; na época o Albérico trabalhava na loja de vinhos e não pudemos ler juntos a matéria, mas nossas emoções foram as mesmas, ao ler a matéria, ver as fotos e a beleza e sutileza dos detalhes escritos por Ivonilo; nos emocionamos, não teve como não chorarmos com aquela primeira matéria, primeira de muitas que ainda viriam nos próximos anos. Mas aquela foi a mais marcante, foi um grande marco na minha história profissional, pois ali vi de uma forma clara e limpa o amor e esforço que tinha envolvido todos aqueles anos de trabalho. Percebi também o quanto ainda teria que percorrer. Ivonilo Praciano? Hoje é um amigo muito especial, ele faz parte da nossa história profissional.

A matéria no jornal abriu muitas portas, outros canais de comunicação nos procuraram para conhecer o meu trabalho com pães e saber um pouco mais da profissional Neiva Terceiro. Assim, mais e mais clientes chegavam até nós, através da mídia espontânea. Um reconhecimento muito incentivador.

VOCÊ É O PÃO QUE VOCÊ COME!

A importância da mídia espontânea e no que ela difere da mídia paga: A Mídia espontânea é um reconhecimento do trabalho pelo público que acompanha seu trajeto e quer dividir com mais pessoas, enquanto a mídia paga é quando você quer se fazer visto para alcançar um público. Eu sempre fui agraciada com a mídia espontânea, onde tem mais credibilidade, pois vem de fontes seguras que admiram você e referendam o seu trabalho.

De repente é Semana Santa e Páscoa, e fui estudar a cultura local e os seus costumes; como sou filha de cearense e casada com cearense, conhecia a tradição do pão de coco, que é muito interessante. Só no estado do Ceará tem essa tradição de consumir essa iguaria na Semana Santa. Presentear amigos e familiares nessa época também é costume cearense. Em cidades do interior, muitas famílias se presenteiam com pães de coco e peixe, que simbolizam o período da ressurreição de Cristo. Então coloquei a mão na massa e fui desenvolver um pão de coco. Pensei muito na questão do peixe, o que eu poderia fazer para colocar o peixe em forma de pão? Então veio a ideia de fazer um pão recheado com bacalhau e oferecer aos clientes. Um costume nosso, da empresa Neiva Terceiro, bem conhecido por nossos clientes até hoje, são nossas degustações, sempre que sai um produto novo, o cliente é convidado a experimentar em nossa loja e dar a sua opinião.

Tinha acabado de fazer uma fornada do pão de bacalhau e chegou uma cliente, que hoje além de cliente é nossa amiga — como muitos outros clientes que nesses anos de trabalho se tornaram de casa e amigos, D. Lúcia Elisabete, uma senhora de muito bom gosto e elegância; experimentou o pão de bacalhau e achou divino, comprou e em poucos dias retornou fazendo uma encomenda de muitos pães de bacalhau e pães de coco. Esses pães iam viajar para Juazeiro do Norte, cidade do Ceará, ela ia presentear a família. Essa foi a primeira de muitas encomendas de Páscoa daquele ano.

Muito me surpreendeu o fato de ter feito um produto com um diferencial. O diferencial estava presente desde o início da fabricação até a apresentação e a embalagem. Fazer diferença de um pão convencional e vê-lo se tornar um presente para pessoas, envolvido em afetos, foi algo que não esperava. O retorno que eu recebia das pessoas que foram presenteadas, e que nos procuravam para conhecer os produtos e também presentear outros, era estimulante. Elas relatavam que ao receber nosso pão, viam que não se tratava de um pão comum, e que os detalhes de como o pão era embalado transmitiam um capricho e amor pelo que se faz. Quando eu ouvia os relatos, eu ficava feliz em conseguir expressar o meu sentimento de amor em fazer os pães, em repassar o que sentia através do meu trabalho.

Depois daquela Páscoa, senti que estava no caminho certo e que dessa vez não ia terminar em "pizza", que toda aquela dificuldade e percalços do começo foram necessários para encontrar o meu caminho, para me profissionalizar, descobrir um novo mercado e dele fazer parte.

Já estávamos nessa casa maior há uns 02 anos, a empresa começando a tomar forma e saindo do "berçário"; podia-se afirmar que estávamos engatinhando para um crescimento e que aquele local já não era suficiente. Nesse momento vimos que era a hora de colocar o "Bloco na Avenida", já tínhamos uma boa clientela, tínhamos um motorista e uma logística de entrega, e sentíamos a necessidade de expandir, sair da toca. A casa, além de estar pequena, trazia alguns problemas, os proprietários não nos davam acesso aos documentos necessários para abrir a empresa. Por ocasião dessa segunda implantação da Padaria em Fortaleza, fizemos tudo diferente da nossa primeira vez. Quando chegamos a Fortaleza, abrimos a empresa como manda o figurino e ficamos à espera de conhecer os clientes e captá-los, sem conhecer nada do mercado de Fortaleza. Já nessa segunda fase, colocamos primeiro o produto no mercado, conhecemos nosso público e necessidades, e só então constituímos a empresa, pois infelizmente em nosso País, ser um pequeno empresário é muito difícil. Muitas obrigações fiscais e pouco incentivo. Geralmente quando não se tem um conhecimento do mercado e também não se desenvolveu um produto que atenda esse mercado, muitas empresas acabam fechando em curto espaço de tempo sem ao menos mostrar sua proposta. Atualmente a situação seria diferente, pois agora já existe o MEI (Micro Empreendedor Individual), que facilita muito abrir uma empresa sem muitos custos adicionais e fornece uma boa margem de incentivos fiscais que nos permitem crescer e desenvolver progressivamente.

Piscea, o alimento dos pobres

Acredita-se que há milênios os babilônios, hebreus e egípcios preparavam uma mistura de farinha e água para confeccionar o seu alimento. Esta massa era assada com fornos rústicos, dando aparência semelhante ao que conhecemos hoje como pão árabe. A massa era chamada de "piscea". Os fenícios costumavam preparar esta mesma massa com coberturas diferentes, como cebola e carne, por exemplo. Os discos eram cobertos por outros ingredientes e depois dobrados ao meio. Parte daí, também, a similaridade com o atual sanduíche.

Durante a idade média, os turcos e muçulmanos adotaram este mesmo hábito e graças às Cruzadas, esta preparação foi levada à Itália, especificamente em Nápoles. O que era um alimento simples e destinado aos pobres, se transformou na famosa pizza, inicialmente incrementada com ervas, azeite e outros ingredientes. Somente depois o tomate foi adicionado à sua receita.

Ao chegar no sul da Itália, especificamente em Nápoles, a pizza passou a ser o alimento dos pobres e assim nasceu a pizza, que foi se aperfeiçoando, passando a levar em sua cobertura outros tipos de ingredientes, como toucinho, queijo e peixes.

A fama da receita se propagou pelo mundo e assim surgiu a primeira pizzaria. A casa napolitana Port'Alba era o ponto de encontro de notáveis como Alexandre Dumas, que até chegou a citar a pizza em suas obras.

Seu sucesso foi se expandido e através dos imigrantes, a pizza chegou finalmente ao Brasil, tornando-se um dos pratos mais populares para os brasileiros.

Chegou ao Brasil da mesma forma, por meio dos imigrantes italianos, e hoje pode ser encontrada facilmente na maioria das cidades brasileiras. Até os anos de 1950, era muito mais comum ser encontrada em meio à colônia italiana, tornando-se logo em seguida parte da cultura deste país. A partir de 1985, comemora-se o dia da pizza aos 10 de julho.

Foi no Brás, bairro paulistano dos imigrantes italianos, que as primeiras pizzas começaram a ser comercializadas no Brasil. Segundo consta no livro Retalhos da Velha São Paulo, foi nos fornos do restaurante de Geraldo Sesso Jr., a Cantina Dom Carmenielo, que os apreciadores da culinária Italiana passaram a degustar a iguaria napolitana.

Aos poucos, a pizza foi-se disseminando pela cidade de São Paulo, sendo abertas novas cantinas. As pizzas foram ganhando coberturas cada vez mais diversificadas e até mesmo criativas. No princípio, seguindo a tradição italiana, as de muçarela e anchova eram as mais presentes, mas, à medida que hortaliças e embutidos tornavam-se mais acessíveis no país, a criatividade dos brasileiros fez surgir as mais diversas pizzas.

Fonte: Você repórter: Dia da Pizza completa 25 anos em São Paulo

1. PIZZA MARGUERITA DA SALVAÇÃO

MASSA

Farinha de trigo FINNA 1 kilo

Fermento Biológico 10 gramas

SOSAL LIGHT 20 gramas

Açúcar 30 gramas

Azeite 50 gramas

Água + ou – 600 gramas

Massa velha (opcional) 200 gramas

MODO DE PREPARO:

Misturar todos os ingredientes secos e a massa velha;

Colocar o azeite e a água alternando, sovar bem a massa, e deixar descansar coberta com um plástico por 10 minutos, dividir em bolas de 350 gramas e deixar descansar mais 20 minutos;

Depois desse descanso, esticar com um rolo em mesa enfarinhada fazendo os discos;

Colocar o molho, rechear a gosto e levar ao forno pré aquecido a 220 graus por em média 10 minutos.

MOLHO DE TOMATE

INGREDIENTES

Azeite 60 ml

Manjericão a gosto

Alho 06 dentes

Tomates Italianos 3 latas

Cebola em cubinhos 100 gramas

Sal a gosto

Orégano a gosto

MODO DE PREPARO:

Bater todos os ingredientes no liquidificador e reservar.

COBERTURA

350 gramas de muçarela

Folhas de manjericão fresco

Rodelas de tomates frescos

Flor de sal a gosto

Flor de sal

2. PÃO DE COCO

INGREDIENTES

Farinha de trigo FINNA 1 quilo

SOSAL LIGHT 15 gramas

Açúcar 60 gramas

Leite de coco 250 ml

Ovos 01 unidade (50 gramas)

Margarina Puro Sabor 50 gramas

Fermento Químico seco 20 gramas

Água 300 gramas

Coco seco s/açúcar 250 gramas

MODO DE PREPARO

Pesar todos os ingredientes da receita;

Primeiro passo: Hidratar o coco com metade da água e reservar;

Colocar em uma bacia, farinha, sal, açúcar, fermento, margarina, ovos e mexer bem;

Acrescentar água e leite de coco aos poucos, e ir sovando a massa até ficar macia, ir acrescentando o coco hidratado e sovar por mais ou menos 10 minutos; se necessário acrescente mais água, pois o coco puxa a água da receita;

Depois de sovar bem a massa, cobrir com um plástico e deixar descansar mais 10 minutos;

Cortar pesos de 550 gramas e fazer filões, passando no coco ralado;

Colocar em formas untadas e deixar dobrar de volume;

Assar a 160 graus por mais ou menos 20 minutos.

3. PÃO DE BACALHAU

MASSA

INGREDIENTES

Farinha de trigo FINNA 1 quilo

SOSAL LIGHT 20 gramas

Açúcar 10 gramas

Leite em pó 20 gramas

Azeite 50 gramas

Fermento biológico seco 10 gramas

Água 550 gramas

PREPARO DA MASSA

Colocar em um recipiente a farinha e acrescentar todos os ingredientes secos;

Ir alternando a água e o fermento e sovar a massa até ficar elástica e macia, deixar descansar 10 minutos;

Cortar pesos de 250 gramas, esticar em retângulo, rechear com o recheio de bacalhau frio, enrolar, fechar as bordas com clara, passar na farinha de trigo e colocar em formas de bolo inglês untadas com azeite;

Deixar dobrar de volume, quando tiver dobrado o volume, fazer cortes no pão e regar com azeite, e polvilhar farinha de trigo;

Assar a 170 graus por mais ou menos 20 minutos.

Caso tenha forno com vapor, dar um vapor na entrada do pão no forno, caso não tenha, pegar um borrifador com água e borrifar pelo pão antes de entrar no forno.

RECHEIO

1 kilo de bacalhau desfiado e dessalgado
05 cebolas medias picadinhas
5 dentes de alho picados
02 pimentões verdes picados
200 gramas de azeitonas pretas picadinhas
01 maço pequeno de salsa e cebolinha picadinha
Pimenta branca moída a gosto
100 ml de azeite extra virgem
Refogar a cebola, alho, pimentão no azeite.

Colocar o bacalhau desfiado, a cebolinha e salsa e a azeitona e refogar.

Ajeitar o sal se necessário.

PREPARANDO A MASSA

Certo domingo, eu e Albérico saímos procurando imóveis para alugar, nos deparamos com uma casa antiga, e o Albérico foi logo falando!!! Vejo a padaria aqui!!!! E assim partíamos para uma nova história... Ali estávamos novamente, cheios de planos diante de uma casa abandonada em uma rua bem pacata, entre comércios e residências. Albérico estava muito animado com a casa, eu confesso que não estava com a mesma animação. Adentramos para conhecer; casa antiga cômodos grandes, espaçosa, mas ainda não conseguia visualizar a padaria naquele local; quando me direcionei ao quintal, avistei no fundo uma garagem e um canil, ali imaginei a fábrica!!!

A casa tinha uma energia boa, e aos poucos fomos conversando e fazendo planos; no quintal, onde ficava a garagem e o canil, iríamos construir a fábrica, os quartos dividiríamos em escritórios, espaço para estoque e local para embalar os pães, por fim a sala onde atenderíamos os clientes. Assim, colocamos a mão "na massa" e mudamos para a casa onde ainda hoje funciona a nossa fábrica e loja, começamos de fato nossa história rumo ao profissionalismo... Saindo do anonimato, nascia oficialmente **NEIVA TERCEIRO PÃES ARTESANAIS.**

VOCÊ É O PÃO QUE VOCÊ COME!

Quando identificar o tempo certo de avançar? Quando percebemos que somos capazes de atender com qualidade a um grupo maior de pessoas, quando a procura externa é constante, não podemos ter medo, estacionar ou recuar, temos que estudar as possibilidades de crescimento naquele momento e começar a investir nesse crescimento gradativamente.

Ambiente novo, começamos a planejar, analisar nossos clientes, o que mais poderíamos oferecer a eles com a nova estrutura. Iniciamos aumentando o portfólio de produtos, contratamos novas funcionárias, entramos em contato com novos fornecedores. Até aquele momento comprávamos nossos insumos em atacadistas abertos, e na condição de empresa poderíamos comprar de quem fornecia produtos específicos para panificação.

Depois da correria diária, organizando tudo no trabalho, ia para casa, mas a cabeça continuava fervilhando de ideias, e como o Albérico passava o dia trabalhando na loja de vinhos, ao nos encontrar a noite só conversávamos sobre a padaria, sobre o que precisávamos, ajustando tudo no seu tempo. Quando terminávamos e íamos dormir, eu não desligava e deixava o Albérico doido com minha ansiedade, pois a minha sede de fazer coisas novas era tanta que até sonhava fazendo novos pães. Muitas vezes levantava no meio da noite, o acordava para perguntar se em Fortaleza eu acharia tal tempero ou ingrediente, e ele, muito sonolento, resmungava, "Nê, deixe eu dormir, amanhã veremos isso". E no outro dia estava eu procurando o tal tempero para fazer um novo pão. Na época a escassez de produtos em Fortaleza era grande, não encontrava os insumos que eu idealizava para criar os pães e essa dificuldade fez com que eu pesquisasse locais onde encontrar o que necessitava para fazer os pães diferenciados. Então começamos a agendar viagens a São Paulo, eu aproveitava para conhecer novas padarias e comprar temperos que não tinham no mercado de Fortaleza. A cada viagem eu vinha com a mala cheia de novidades, o que eu achava interessante eu queria transformar em pão e assim começamos a nos destacar através do diferencial, oferecíamos SABORES INUSITADOS.

Nessa fase começamos a aumentar nosso portfólio de clientes, tanto jurídicos como pessoa física, e a cada passo íamos fazendo modificações na nossa produção, conforme a necessidade investíamos em maquinário ou em alguma solução para otimizar o tempo de trabalho.

Começamos a pesquisar as feiras de panificação no Brasil e no Exterior, já conhecíamos a FIPAN (Feira Internacional de Panificação), que é a principal feira de negócios da indústria de panificação, confeitaria e *food service* da América Latina, que acontece todos os anos em São Paulo no mês de julho na EXPO CENTER NORTE. Mas me chamou a atenção a EUROPAIN, uma das maiores feiras mundiais do setor; geralmente ocorre nos meses de fevereiro ou março, na cidade de Paris, França, no centro de exposições PARIS NORD-VILLEPINTE, que acontece a cada dois anos, e é claro, fiquei com muita vontade de conhecer, porém... Uma viagem internacional para duas pessoas ia pesar demais para quem estava começando, sabíamos que naquele ano não conseguiríamos realizar tal investimento, então escolhemos ir para a FIPAN em São Paulo, que na época estava começando a ressurgir com novidades, pois o ramo de panificação nesses últimos 25 anos teve altos e baixos no mercado.

No decorrer desses anos, as padarias convencionais de copa, vitrine doce e balcão, foram dando lugar a padarias com loja de conveniência, *self service*, soparia, entre outras. O setor passava por muitas crises. Veio a era da pré mistura (massa semipronta de fácil manuseio), tudo era muito fácil e acredito que foi nessa época que foram sumindo os padeiros tradicionais, dando lugar a misturadores de massa. Todas as padarias tinham o mesmo pão, o mesmo sabor, só mudava os formatos, e assim caminha até hoje. De uns 5 anos para cá, as padarias começaram a despertar para o Artesanal, eu tenho orgulho em ser pioneira no setor, pois sempre acreditei na essência da panificação, que foi se perdendo com a evolução e agora renasce com o resgate do pão artesanal; estão reaprendendo a fazer pães.

Partimos para São Paulo em busca de novidades, produtos, maquinários, embalagens, tudo que pudesse agregar ao nosso trabalho em Fortaleza, mas as viagens valiam a pena mesmo em relação à aquisição do conhecimento, pois a maioria das empresas não tinham representantes em nosso estado, e as que tentavam a representação ficavam pouco tempo, devido o fato do mercado não absorver as propostas. E assim, nossas viagens a São Paulo eram mais frequentes e cada vez com mais excesso de bagagem no nosso retorno à Fortaleza, trazendo o resultado do nosso "garimpo".

Em uma dessas viagens a FIPAN, investimos em um maquinário que reduziria o tempo que gastávamos dividindo e pesando os pães antes de modelar, era necessário duas pessoas para a execução dessa atividade, que dependendo do tamanho da massa demorava até 1 hora, e com a nova máquina, o tempo de execução seria reduzido para 10 minutos e só precisaria de uma pessoa.

VOCÊ É O PÃO QUE VOCÊ COME!

Percepção é necessária para crescer: É muito importante para o crescimento, ter a percepção do que realmente é necessário e investir em soluções práticas para o desenvolvimento do trabalho diário.

E paralelo às viagens a São Paulo, a minha visibilidade aumentava. Fiz um aniversário de uma cliente, com uma bela mesa de pães, frios, antepastos, que seriam servidos como entrada com vinhos; essa mesa fez muito sucesso, e a cada mesa que eu montava, outros eventos surgiam, pois as pessoas achavam diferente o serviço e o que era servido. A diferença estava na elegância e na maneira como eram servidos os pães, ficavam de fora os tradicionais salgados fritos, e assim comecei a fazer muitos eventos, tanto para pessoa física como jurídica.

Outras matérias saíram em jornais, TVs e o nosso trabalho ia se expandindo e ganhando nome. A cada dia mais pessoas nos procuravam; quando chegavam à padaria, achavam estranho, pois no nosso site tinha as fotos dos pães e de todos os produtos que comercializávamos congelados e a imagem que eles idealizavam era de uma padaria convencional; e encontravam uma casa, arejada com cheirinho de pão e uma rede para sentar. O ritual sempre era o mesmo, servia um pãozinho da produção do dia para experimentar, falava um pouco do nosso trabalho e convidava o cliente a conhecer a produção e as meninas que produziam comigo. Ficavam encantados e sempre retornavam trazendo novos amigos; muitos pensavam, e até hoje muitos pensam, que moro na padaria, acham um local aconchegante e acolhedor, mas essa era realmente a intenção, ter um local de trabalho no qual nos sentíssemos em casa e recebêssemos nossos clientes como amigos, e assim é até hoje, muitos clientes são nossos amigos e até parceiros.

De repente é época de Natal. Tinha feito um curso de panetones artesanais em São Paulo em uma das viagens mencionadas. Seria o primeiro Natal da EMPRESA constituída, investimos em insumos de primeira qualidade, material para decoração, formas francesas de cedro e formas italianas para fazer os panetones, material que aqui em Fortaleza ninguém ainda usava, e íamos ousar apresentando um panetone salgado e um trufado para sobremesa, sendo que o panetone tradicional também era pouco difundido na época, não era forte na cultura do nosso estado o panetone, era um desafio.

Começamos a produzir e divulgar no final de novembro, quando percebemos já estávamos cheios de encomendas, as pessoas vinham até a fábrica para degustar e encomendavam. Duas semanas antes do Natal saiu uma matéria em um jornal conceituado da cidade, onde fomos destaque de capa com um lindo panetone decorado. A matéria saiu no caderno de gastronomia, que mostrava na íntegra as novidades para o Natal, e nosso panetone estava lá enchendo os olhos dos leitores. Com isso, o telefone não parava de tocar, com pessoas querendo o endereço e fazendo encomendas; fiquei assustada, pois era uma demanda grande e as meninas não tinham experiência com movimento de Natal e nem eu tinha dimensão do quanto iríamos produzir.

Pensei logo em reforço, lembrei de uma amiga de São Paulo - "Nadir" -, que fez alguns cursos comigo, inclusive de Natal, e fiz uma proposta para ela vir a Fortaleza e trabalhar apenas no período de Natal; a resposta foi positiva e logo ela estava fazendo parte da equipe.

Foi intenso o trabalho, a curiosidade das pessoas para conhecer os produtos, casa lotada diariamente, nós nos dividindo entre atendimento e produção, ficávamos até tarde da noite produzindo para dar conta do recado, teve noite que passamos acordadas vendo o dia amanhecer comendo pizza fria e decorando muitos panetones. Foi o nosso primeiro Natal e de grande sucesso, apresentamos um diferencial que a cidade adotou para anos seguintes.

VOCÊ É O PÃO QUE VOCÊ COME!

Para inspirar outros é preciso transpirar: A determinação, a exaustão, o estar presente acompanhando, solucionando, criando lado a lado com nossos colaboradores nesses primeiros passos, foram de suma importância na formação da equipe, pois todos se inspiravam em quem os conduzia e estavam ali lado a lado engajados e presenciando ativamente aquele momento de crescimento.

Começamos o ano muito otimistas, olhando para o ano que passou com muito carinho, saímos da experiência do negócio familiar para a profissionalização. Começando a dar forma a uma empresa organizada, onde tudo era pensado e todos da família colaboravam, meu marido na parte financeira, meu filho mais velho interagia em todos os setores e era responsável pelas entregas, minha filha ainda era muito jovem para estar conosco, mas sempre ficava a par do crescimento e vinha com ideias para acrescentar ao negócio da família.

Nessa crescente, sempre a procura do melhor, não poderia faltar uma boa farinha que atendesse a qualidade dos produtos que estávamos inserindo no mercado. Já tínhamos trabalhado com várias farinhas, chegavam até nós amostras de moinhos para que eu testasse, e nessa procura, escolhi a farinha que seria a base do meu trabalho. Queria muito pegar a farinha escolhida diretamente do moinho que produzia, pois o conceituado moinho tinha a moagem diária, e por isso eu conseguiria ter um controle seguro do meu estoque. Através de um dos restaurantes que atendíamos, o Diretor Presidente do Grupo M. Dias Branco, Sr. Ivens Dias Branco Júnior, conheceu nosso pão e se tornou nosso cliente. A secretária dele, que hoje é nossa cliente e amiga, tinha contato com o Albérico devido aos vinhos que ele representa, e aproveitamos esse contato para tentar conseguir comprar a farinha diretamente do moinho e não no mercado.

Conversamos com ela para saber da possibilidade de fazermos um cadastro. Eu já tinha esquecido desse contato realizado quando recebemos um convite para irmos conhecer o Moinho Dias Branco e a Fábrica de Margarina GME. Um dia antes da data marcada o telefone toca, e pedem que aguarde um instante; quando passaram a ligação, era o próprio Presidente do Moinho, confirmando o convite e se desculpando pois tinha uma viagem de última hora, mas que seríamos atendidos pelo seu assessor direto. Nos dirigimos ao moinho sem conhecer ninguém e fomos muito bem recebidos; já conhecia outros moinhos, mas a tecnologia deles e a logística me encantaram, e o cheiro de farinha então nem se fala. Conversamos muito, eu, Albérico e a equipe que nos acompanhava, eles ficaram admirados com o nosso trabalho. Em forma de agradecimento e para conhecerem nossos produtos, levei uma linda cesta de pães.

Saborearam e se encantaram, e eu também me encantei com tudo. Passamos o dia entre o moinho e a fábrica de margarina, tivemos uma bela recepção no almoço, não tinha nem como agradecer aquele dia incrível; entre nossas conversas falamos das feiras que visitávamos e das que pretendíamos visitar, citando a EUROPAIN na França, que eles ainda não conheciam e por isso ficaram interessados também. No calor da conversa. programamos que na próxima feira iríamos todos nós e eu e Albérico faríamos parte da comitiva para essa viagem, parecia um sonho. Saímos da visita com autorização para comprar a farinha, que era o que mais me interessava naquele momento.

Estreitamos os laços com o Moinho, acredito que foi uma troca, o foco dos moinhos na época era a venda de farinha, então muitos tinham a parte técnica, mas não acompanhavam o que acontecia com o resultado final, "o pão", feito com aquela matéria prima preciosa. A cada evento de panificação que acontecia no grupo, eram contratados meus serviços com os pães. A primeira mesa de pães que fiz para o grupo, surpreendeu a equipe e aos outros moinhos que ali estavam expondo, pois eram pães diferentes dos encontrados no mercado, com uma personalidade e assinatura própria, NEIVA TERCEIRO. O *stand* ficava lotado e me enchia de orgulho.

A equipe que conhecemos no moinho veio conhecer nossa produção e viram o quanto éramos capazes de produzir com tão pouco, maquinários simples, mão de obra bem aproveitada e organizada. E assim fizemos muitos eventos em parceria com o moinho, unindo a qualidade do produto que eles ofereciam com o resultado final, os belos e deliciosos pães.

SUCESSO SE CONQUISTA COM RELACIONAMENTOS

A ALQUIMIA DO PÃO

Francisco Marino - licenciado em Letras (UFC), especialista no ensino de língua portuguesa (UECE) e mestre em Linguística (UFC).

Quando um ourives trabalha um lingote, ele o transforma em uma peça preciosa. A "ourivesaria" do pão tem em Neiva Terceiro Pães Artesanais & Vinhos, para mim, o seu maior representante, pois a maestria com que a Neiva manipula o trigo revela a sua magia, o seu poder de seduzir pelo paladar, usando a nossa visão (porque é belo) e as nossas papilas (que entram em êxtase quando sentem a ação desse poder). A alquimia representada pela combinação de ingredientes finos, como o presunto de Parma, de ingredientes regionais, como o caju, inclusive os exóticos, como a tinta da lula, materializa a sua *expertize.* Tudo que Neiva faz nascer é um presente para os olhos e para o paladar. Sempre fui apaixonado por panetone e, quando vi, em um tabloide de jornal, um panetone lindíssimo, fiquei tentado a testar se a beleza condizia com o sabor. Não deu outra! A harmonia entre o estético e o palatável foi devidamente comprovada. Daí em diante, a simpatia, o carinho, a atenção com que Neiva acolheu a mim, Sheila e Bianca nos cativaram e nos transformaram em *habitués.* Que décadas e décadas de sucesso e de existência se sucedam para o nosso prazer!

VOCÊ É O PÃO QUE VOCÊ COME!

Parceria: A Parceria tem muita importância para o crescimento, principalmente quando o parceiro agrega valor ao seu produto e virce-versa, acaba sendo uma troca, pois cada um está dando credibilidade ao produto do outro e solidificando uma marca.

Chegou o tempo da viagem para a França, voltamos a nos comunicar para acertar os detalhes da viagem com a equipe do Moinho, mas infelizmente naquele momento eles não viajariam, então eu e Albérico decidimos que era o momento de investirmos. Estava tudo sob controle, organizado, nosso filho estava integrado e dando suporte à padaria, tínhamos a Nete, de total capacidade para assumir com as meninas a produção, então fizemos nosso roteiro, que incluía Londres e Portugal, pois temos parentes e amigos que moram nesses países e aproveitaríamos para conhecer um pouco da cultura do pão em outros países.

Parceria

Sonhamos, planejamos, executamos e escolhemos parcerias.

Empresas sempre estão ligadas a parcerias. A necessidade de termos parceiros leais e comprometidos com seriedade, profissionalismo e principalmente com responsabilidade com nossa Marca, que é a nossa identidade.

Quando firma-se uma parceria, está em jogo o respeito, interesse mútuo, profissionalismo e troca de conhecimento de cada lado.

Escolher bem uma parceria significa dar continuidade ao trabalho realizado, ao planejamento executado e seguir com trabalho.

Ambas precisam estar preparadas para trabalharem juntas com ideias que venham a somar e que não confundam ou prejudiquem a individualidade de cada um.

capítulo 4

SOVAR O PÃO É SEMPRE UMA VIAGEM PRAZEROSA

“Tanto quero o pão e o vinho,
a realidade e a fantasia,
é isso que nos mantém vivos.
Cazuza

Tudo era novidade e a ansiedade era grande demais, conhecer outros países, ir a uma feira internacional de pães sem falar outros idiomas, mas sempre fomos corajosos e desbravadores. Começamos a pesquisar o local da feira, procuramos uma agência de viagens para passagens e estadia, tudo resolvido! Começamos a passear pelas ruas onde precisaríamos andar por Paris pelo *Google Street View*, pois era o primeiro país que íamos visitar, estávamos tranquilos, contratamos o serviço de receptivo para nos levar até o hotel e de lá prosseguiríamos sozinhos.

Malas prontas, deixando tudo organizado aqui no Brasil; instalamos sistema de câmeras na padaria, assim, de onde estivéssemos, poderíamos acompanhar o dia a dia da empresa pelo computador e organizamos tudo para efetuar todos os serviços bancários à distância. A primeira viagem internacional, aquele friozinho na barriga e alegria; quando o avião estava para aterrissar em Portugal, uma emoção tomou conta de mim e chorei de alegria e emoção por estar atravessando o oceano em busca de um sonho, em busca do aprendizado, da cultura que envolvia a panificação.

Fizemos conexão em Portugal e tudo foi tranquilo, idioma parecido, nada fora do normal; embarcamos para Paris, e ai começava uma aventura, idioma "Zero". Quando falavam em espanhol era uma alegria, pois conseguíamos entender e nos comunicar. Chegamos ao aeroporto e nos pararam, abriram malas, fizeram mil perguntas, e eu, como não tenho muita paciência, já estava ficando irritada, mas o Albérico, diplomático como sempre, resolveu tudo na calma.

No saguão do aeroporto aguardando o receptivo, e nenhum sinal dele, entramos em contato com a agência no Brasil e fomos informados que havia ocorrido um problema e a pessoa não poderia ir buscar, se esperássemos umas duas horas no aeroporto, contatariam outro receptivo, então resolvemos não esperar e pegar um táxi para o hotel.

Pegamos o táxi, o taxista nada gentil ou carismático (mas acredito que seja o perfil dos taxistas na França, pois em todas as minhas viagens, nunca peguei um taxista boa praça), passamos o endereço do nosso hotel e partimos. Nessa hora vimos o quanto foi importante termos feito o trajeto pelo *GoogleStreet View* antes de viajarmos, pois o taxista pegou uma localização diferente e o Albérico o direcionou para o hotel e ficamos mais tranquilos.

Chegamos no hotel ao entardecer, um frio intenso, que se fosse no Brasil ninguém me tiraria das cobertas, mas estava louca para ver a Cidade Luz; deixamos as malas e fomos "bater pernas", pois tínhamos aquela noite e o dia seguinte livres e aproveitamos para fazer um *tour*. Nosso hotel era pertinho da Torre Eiffel, então andamos muito a pé pela redondeza, desbravando, e encantados com a arquitetura, com os monumentos, o trânsito, mercados, e tudo que nossos olhos pudessem ver. No domingo aproveitamos para ir mais longe, fomos conhecer *Versailles*, fiquei encantada com a cidade, a calmaria, o Palácio de Versailles, lindo com seus jardins encantadores, bem diferente de Paris.

Chegou o dia da feira! Acordamos cedo, tomamos nosso café e fomos para o Metrô em direção à feira, que ficava bem distante de Paris. Nossa!!! Aquilo era um mundo, comparado às feiras que visitamos no Brasil, pessoas de todo o planeta chegando e guardando suas malas no guarda volumes, nunca vi tanta gente e malas juntas; pegamos uma fila imensa e fizemos nossos crachás. Como não falávamos nem francês, nem inglês, acreditávamos que a dificuldade naquele dia seria grande, pois meu cunhado, que mora na Inglaterra, viria a partir do segundo dia de feira para nos ajudar, mas aquele primeiro dia seria por nossa conta, na observação e mímicas; mas a linguagem da panificação é universal, esse alimento milenar faz-se traduzir por si só.

A primeira emoção que tive foi quando entrei no pavilhão e comecei a correr os olhos nos *stands* e ver os formatos dos pães; ali, naquele momento. vi "os meus" - o pão diferente que eu já fazia no Brasil -, o Albérico também percebeu e falou: "Olha seus pães !!!". Fiquei feliz, pois não conhecia os pães de outros países, a não ser por pesquisas, leituras, fotos; foi quando percebi o quanto me aproximei deles nas minhas alquimias, senti que estávamos no caminho certo.

VOCÊ É O PÃO QUE VOCÊ COME!

A importância da pesquisa em outras culturas para o sucesso do empreendimento: Acredito na importância da pesquisa em outras culturas, até para efeito comparativo, comparar o seu trabalho com o mesmo trabalho executado em outras regiões. Com essa experiência você reinventa, cria, realiza fusões. No caso da panificação, a base fundamental é farinha, sal e água, então quando você estuda e pesquisa, começa a abrir um leque enorme do que se pode criar tendo como base esses elementos e somando criatividade e novas técnicas.

Muitos clientes chegavam e falavam que meus pães eram iguais aos que eles comeram em tal país em suas viagens; eu sempre achava que eles queriam me agradar e naquele momento vi a semelhança. Claro que tinha diferenças nas técnicas usadas; a farinha principalmente, e a fermentação, embora eu já trabalhasse com fermentação natural, mas eles estavam à frente de nós, e eu tinha muito que aprender naqueles dias de feira. Na França percebi que as padarias estavam fazendo o inverso do nosso trabalho, deixando de ser artesanal para uma distribuição maior em pontos estratégicos. Considerando que eles estão anos luz adiante de nós na panificação, chegaram à excelência, e agora sabem como multiplicá-la sem afetar a qualidade e o sabor; o que entendi é que toda essa mudança foi fruto de muito estudo, pesquisa e união, pois me explicaram que pequenos panificadores, artesãos e grupos de moinhos, se uniram e se comprometeram em manter o método tradicional de fabricação dos pães. Eles têm o que chamamos aqui no Brasil de pré-mistura, mas com uma qualidade que você pensa que é artesanal; eles levam tudo isso muito a sério.

Outra coisa que achei super interessante na feira, foi uma máquina tipo de refrigerante, só que de pães (*Coté pain*), você coloca uma moeda, escolhe o pão e ele sai quentinho. É muito comum na França as pessoas saírem com suas baguetes literalmente "embaixo do braço"; quando você menos espera, vê um francês tirando uma baguete do bolso, para lanchar. Também é comum entrar em supermercados no horário de almoço e ver as pessoas escolhendo seus lanches, de todo sabor e variedade que imaginarmos; para quem gosta de pão e queijos é um verdadeiro paraíso.

A feira foi dividida em setor industrial e artesanal: no setor industrial um destaque para os maquinários, que muito surpreende, vimos a presença da Alemanha, Japão, Itália, entre outros países.

A parte de confeitaria nem precisa falar, muito delicada, fina, doces levíssimos e belíssimos, pareciam pequenas joias as caixinhas de *macarons* tão bem expostas.

Olhos atentos a tudo, maquinários que eu não imaginava que existissem até o momento, agilidade dos profissionais, insumos inusitados, perfeição, técnicas. Para nada passar despercebido, visitamos muitos *stands* naquele dia; onde passávamos éramos bem recebidos e as pessoas se esforçavam para falar conosco em espanhol, para nos atender, eram muito gentis, e nós anotávamos os locais de maior interesse para voltarmos no dia seguinte com meu cunhado Tony Terceiro, que seria nosso intérprete. Encontramos um *stand* de produtos portugueses que muito nos interessou, com sua Broa de Milho, Pão-de-ló cremoso e Pasteis de nata - pois na verdade, diz-se que Portugal foi quem trouxe o pão definitivamente ao Brasil através de Dom João VI, no século XIX ,quando construiu o primeiro moinho no atual estado da Bahia, em sua corte. Fizemos um primeiro contato, trocamos cartões e como no final da viagem nosso destino seria Portugal, agendamos uma visita ao Moinho, que ficava em uma cidade um pouco afastada de Lisboa. Infelizmente não visitamos, por ter falecido uma pessoa do Moinho no dia agendado, mas continuamos mantendo contato via email e redes sociais até hoje com pessoas desse grupo. Também tive a honra de ser convidada para mostrar meu trabalho em uma revista portuguesa especializada em pães, onde me entrevistaram e ensinei a fazer um pão de vegetais. Quando recebi a edição da "Revista Pão Gourmet" com a chamada na capa "Pão no Mundo, Neiva Terceiro do BRASIL", fiquei muito feliz e lisonjeada em ter meu trabalho reconhecido além mar.

PÃO NO MUNDO-BRASIL
PÃO TRICOLOR

INGREDIENTES MASSA BASE

1500 gramas de farinha de trigo FINNA

450 gramas de vegetais/leguminosas

225 gramas de água

50 gramas de azeite

50 gramas de leite em pó

50 gramas de açúcar

20 gramas de fermento seco biológico

40 gramas de SOSAL LIGHT

450 gramas de fermento natural

150 gramas de queijo parmesão ralado

TEMPEROS

300 gramas de espinafre refogado

300 gramas de cenoura ralada

300 gramas de beterraba ralada

PREPARAÇÃO

Misturar todos os ingredientes secos exceto o queijo parmesão, acrescentar o fermento natural e misturar rasgando o fermento.

Colocar água aos poucos e azeite até dar o ponto da massa lisa e enxuta, acrescentar o queijo e sovar uns 5 minutos, dividir a massa em três partes iguais e reservar.

Pega-se o primeiro pedaço de massa, abre sobre a mesa e coloque um dos temperos escolhidos, misture bem a massa usando um pouco de farinha para dar o ponto e sove por 10 minutos, massa finalizada, envolva em um plástico para não ressecar e reserve.

Faça o mesmo com os dois pedaços seguintes, e depois de pronta corte pedaços de 200 gramas cada um e faça uma trança e coloque em uma forma de bolo inglês para dobrar de volume.

Dobrado o volume, pincele com ovos, polvilhe queijo E FLOR DE SAL COM GENGIBRE, e leve para assar por 25 minutos a 160 graus.

OBS: Os vegetais e legumes podem ser beterraba, cenoura, espinafre, abóbora, couve ou outro da sua preferência. Estes pães são muito saudáveis para oferecer a crianças que têm resistência a comer legumes e verduras na alimentação. O espinafre e a couve manteiga devem ser cozidos e aproveitar a água do cozimento para a massa do pão, a cenoura, a beterraba e a abóbora devem ser cruas e raladas.

St. Honoré d'Eylau

Final da tarde voltamos para Paris, pois como havia dito, a feira era distante e fora da cidade. Aproveitamos para conhecer um pouco mais da cidade. Me deparei com uma igreja singela, e o cheiro de incenso ou mirra que saía dela e chegava até a calçada, fez com que eu convidasse o Albérico a entrar; foi uma forte emoção, pois era um recinto de tanta paz, tapete surrado pelo tempo, cadeirinhas individuais de madeira tipo as que se usavam em grandes mesas para reunir a família nas cidades do interior antigamente. Era permeada de muita simplicidade, sem a imponência e tumulto das grandes igrejas e monumentos turísticos. Ali estávamos, eu, Albérico e mais ninguém. Orei, chorei de emoção e agradeci por aquela viagem tão rica em conhecimento. Nunca esqueci aquela igreja, nem sabia o nome ou o credo, mas aquela paz que senti e a gratidão que emanava me bastavam. Depois, pesquisando, soubemos que se tratava da Paróquia de *Saint-Honoré-de-la-Plaine e Saint-Honoré-d'Eylau.* Arquitetonicamente, a igreja é pequena, bizantina de inspiração e é muito simples em sua ornamentação. A vocação desta comunidade - mesmo em Paris - é a oração, solidão e adoração, St. Honoré d'Eylau[1] é uma igreja muito tranquila.

1.SITE: http://www.patrimoine-histoire.fr/Patrimoine/Paris/Paris-Saint-Honore-d-Eylau-ancienne-eglise.htm

VOCÊ É O PÃO QUE VOCÊ COME!

Pão e fé: Duas coisas que sempre estiveram presentes na minha vida, a Fé e o Pão. A Fé, desde pequena observava os familiares maternos e paternos que nos transmitiam os ensinamentos. O pão pela partilha que acontecia todo dia à tarde em nossa família. A 22 anos atrás, não me sentia feliz quanto à minha vida profissional, e como sou uma pessoa de muita fé, pedia a Deus em minhas orações que Ele me mostrasse um caminho, queria uma profissão que eu me apaixonasse, que sentisse prazer em levantar da cama todos os dias para executá-la. E ele colocou no meu caminho a Panificação, que abracei e me apaixonei. Naquela época não tinha glamour nenhum ser Padeira ou Chef Padeira como muitos intitulam hoje. Quando perguntavam minha profissão, achavam estranho eu responder que era Padeira. Deus me ouviu e repartiu comigo o pão!

Voltamos ao hotel com uma boa quantidade de material informativo da feira e com muitos pães, pois em cada empresa que passávamos nos eram ofertados pães, e eu lógico, queria experimentar todos. Com tantos pães a mão, passamos no mercado mais próximo ao hotel, compramos um vinho e bastante queijo (outra das minhas paixões) para um lanche da tarde e brindamos agradecendo aquele dia produtivo.

Meu cunhado e sobrinho chegaram de Londres no comecinho da noite. Já estávamos há três dias em Paris sozinhos, e agora teríamos companhia de alguém que conhecia a cidade e falava inglês, as coisas começavam a melhorar. Sem contar que nos três dias que passamos sozinhos, nossa alimentação foi basicamente pães, queijos, sucos e vinhos, não era nada mal, mas por não conhecer a língua e o que os restaurantes ofertavam, ficávamos receosos em entrar e não conseguir fazer-nos entender e nos decepcionar nas escolhas. Eu já estava cansada dessa história de marinheiro de primeira viagem, estava desejando uma comidinha quentinha e reconfortante. Fomos a um restaurante e não quis arriscar comidas francesas, preferi uma tradicional massa quentinha com molho de tomate, que me satisfez muito. Então satisfeita, saímos para mais turismo à noite, andamos muito, fizemos o passeio de *Bateau Mouche* com um frio intenso e praticamente só nós no barco, andamos pelo *Arc de Triomphe* e outros lugares, pois não poderíamos perder uma oportunidade de conhecer o máximo de lugares, porque terminando a feira, partiríamos para Londres e não sabíamos quando voltaríamos à França novamente.

Partimos para nosso último dia de feira, e aproveitamos muito com a presença do meu cunhado. Ele, a cada *stand* que visitávamos, tirava as nossas dúvidas com a sua tradução, eu ficava analisando os mestres confeccionando as massas e perguntava muito, e eles sempre prontos a ensinar, e daquela feira levei muitas novidades na bagagem. Eu me preocupava em observar técnicas, insumos, embalagens, dava vontade de encher a mala e trazer tudo que via. O Albérico pesquisava a parte funcional, maquinários e tecnologia, assim cada um tinha uma visão mais detalhada de cada coisa e depois debatíamos o que cada um tinha visto e observado, e víamos o que poderíamos trazer para nossa realidade no Brasil.

VOCÊ É O PÃO QUE VOCÊ COME!

Contextualização, a necessidade de adequar a cultura diferente à realidade. Quando visitamos uma feira internacional, muitas vezes o que vemos está fora da nossa realidade aqui no Brasil, principalmente naquela época, que muitas coisas só em sonho mesmo. Então, era a hora de usar a percepção, ver o que tínhamos aqui no Brasil ao nosso alcance para desenvolver uma técnica aprendida, ou um maquinário de última geração. Hoje a facilidade é bem maior, a França já está presente em nossas feiras, como o Brasil também participa da Europain com produtos brasileiros, estreitando as relações e trazendo muitos benefícios para nós panificadores e padeiros.

Passamos uma semana maravilhosa de aprendizado em Paris e partimos para Londres, onde conhecemos algumas lojas de pães, mas na época nada muito significativo comparado ao que vimos na França. O que gostei em Londres foram as confeitarias especializadas em *Cup cakes*, que estavam começando a surgir no Brasil e aproveitei para conhecer um pouco mais, o que me foi útil no futuro pois aplicava o que aprendi em Oficinas Infantis. Após a ótima estadia em Londres com familiares e conhecendo lugares turísticos, chegava a hora de ir para Portugal. Lá fomos recepcionados por um casal de amigos muito queridos, que nos mostraram Portugal em três dias com muita poesia, lugares turísticos, uma gastronomia farta e deliciosa. Conhecemos algumas padarias e confeitarias que mostravam a tradicional confeitaria portuguesa, não deixando de passar pelos famosos Pastéis de Belém, e por fim passando no Santuário de Fátima para agradecer aqueles quatorze dias fantásticos de aprendizado na Europa.

PÃO... UMA OBRA DE ARTE!

Raquel Almeida Pontes

Em meados de 2009/2010, através da indústria de alimentos para a qual eu trabalhava, tive o prazer e a oportunidade de conhecer a Neiva e seus maravilhosos produtos e serviços. No começo, nossa relação era de fornecedor – cliente, mas depois, não demorou muito para se tornar uma parceria de fornecedor-cliente e cliente-fornecedor. A cumplicidade e a confiança resultaram no início de uma grande e sólida amizade que perdura até hoje. Mas tudo isso só foi possível porque havia uma troca de admiração, cumplicidade, confiança e profissionalismo. A Neiva nunca me deixou na mão. Não era só o seu profissionalismo que se destacava nessa linda parceria, era o seu dom, a sua criatividade, a qualidade e o amor pelo que faz e produz, muitas vezes transformado em obras de artes. Mas o seu dom não parava por aí... Toda vez que eu a visitava, eu nunca saía de mãos vazias, ou melhor, de barriga vazia, ela sempre compartilhava suas artes comigo através de degustações e de oportunidades. Quando falo em oportunidades, me refiro a doce (literalmente) lembrança de quando eu morava em Londres e me deliciava com um apetitoso croissant de chocolate e essa lembrança era possível através de suas talentosas mãos e sua dedicação, pois ainda não encontrei um croissant melhor, aqui em Fortaleza, considerando sua aparência, qualidade, sabor e principalmente, sua crocância. A Neiva diz que faz pães, mas eu não acho que seja apenas isso, para mim, ela faz sonhos, ela traz lembranças, ela satisfaz não só a gula, mas o desejo de comer produtos de qualidade e sabor, ela transforma as pessoas através de seu dom e de um cliente, ela faz um amigo... ela faz obra de arte.

DICA PARA EVENTOS E REUNIÕES

De volta ao Brasil, precisamos receber os amigos para contar as novidades da viagem. E saber receber é fundamental.

O pão está cada dia mais presente nos encontros com os amigos, é muito bom reunir pessoas para um bom papo e coisas gostosas para petiscar e beber, e para que tudo isso fique perfeito, tem que ter harmonia na escolha dos pães, queijos e bebidas, então vou dar uma dica para você acompanhar e servir melhor os seus pães.

Em um evento com pães, você pode brincar com as variações, pode usar pães rústicos e tradicionais como um bom pão italiano, português ou australiano, e casar com antepastos diversos, tipo um antepasto de bacalhau, uma sardela e geleias gourmet que hoje encontramos uma grande variedade no mercado, geleia de vinhos, de morango com pimenta, de café entre outros sabores exóticos que tanto caem bem para doces como para salgados.

Pode também usar mini pães tipo ciabatta, português, pães de azeitona, de ervas, calabresa e ainda alguns pães mais elaborados, como o pão de bacalhau, carne de sol, lombinho, frango, gorgonzola.

Como você expõe esses produtos também conta muito, use e abuse de peças bonitas, como tábuas, cestas, taças grandes de vidro, e disponha esses pães de uma forma bem apetitosa, coloque molheiras e porta pastas próximos aos pães, para que as pessoas se sirvam com esses acompanhamentos.

Você pode aproveitar frutas frescas tipo uvas, morangos, cerejas e fazer uma cestinha para decorar a mesa e para ser desfrutada com os pães e vinhos que serão servidos juntamente com um mix de queijos e embutidos, tipo presunto de Parma, peperoni, salaminho e outras variedades, e por fim pode também incluir castanhas, pistache, amendoim.

Tendo em mãos todas essas iguarias, dá para fazer uma mesa farta, harmonizando com a bebida de sua preferência.

Para os amantes de vinho tinto, você pode abusar dos pães mais rústicos e de sabores mais intensos, tipo os pães italianos com antepastos de sardela, ricota ou até mesmo uma boa caponata de berinjela, queijos, bruschettas, pão de gorgonzola, bacalhau, carne de sol.

Para os vinhos brancos e espumantes faço a sugestão de queijos mais leves, croissant de frango, pão de caranguejo, pão português ou australiano com geleia de frutas, as crostatas, as frutas frescas.

Sanduíches leves, feitos com ciabatta, pães portugueses com queijo branco, ricota e embutidos leves também caem bem com o vinho branco e espumantes.

Partindo para a cerveja, pode harmonizar com os pães mais temperados, com grissinis, crostatas, antepastos, os pães recheados de carne de sol, lombinho, salaminho, os embutidos em geral as castanhas, pistaches, amendoins.

Sugestão de pães por pessoa: 150 a 200 gramas

Vinho ou espumante: 200 ml por pessoa

Hoje nossas oficinas e cursos sobre "Como preparar pães de todas as categorias, antepastos, pizzas, confeitaria", sempre são muito procurados e divulgados pelos alunos, onde aprendem a fazer seus próprios pães para servir aos amigos e familiares, e são sempre muito ricos em troca de conhecimentos. **Voilá!!!!**

Definir prioridades

"Quando você sai do anonimato e resolve iniciar uma Empresa, todos os custos representam um aumento considerável, e se você não criou o hábito de ter essas despesas controladas, não saberá exatamente o valor do seu produto e não saberá quanto cada item representa no seu faturamento.

A importância de conhecer outras culturas abre na nossa mente uma perspectiva totalmente diferente, onde você enxerga horizontes fantásticos que antes não conseguia ver.

No meu entendimento, no caso de uma padaria, priorizar a produção como o "coração" de toda Empresa é fundamental. Tem que ser muito bem tratada, com maquinário que faça todos trabalhar com mais tranquilidade, mas nem por isso terá que ser o mais caro.

Investimento em inovações e equipamentos, pessoal bem treinado e comprometido com o que fazem é uma prioridade. Criação de normas internas e externas para que não haja dúvidas aos funcionários, fornecedores e clientes é igualmente importante. Siga a Dica! !Padaria não é Padareca!!!"

Albérico Terceiro

Flor de sal
Com gengibre
Cimsal
65g

capítulo 5

ATERRIZANDO COM NOVAS IDEIAS: INOVAÇÃO É UMA MARCA

“O amor que fica ali parado, como uma pedra; tem que ser feito assim como o pão; refeito o tempo todo, renovado.

Ursula K. Le Guin

A viagem à Europa foi um grande divisor, chegamos cheios de novidades, eu queria começar a aplicar na produção novas técnicas, fazer testes de novos produtos baseados em tudo que eu tinha visto, pois agora eu conhecia os aromas, as texturas, o cheiro de cada pão. Não era mais só a imagem que via em livros ou reportagens, agora eu podia fazer a fusão entre o que eu fazia e o novo que acabara de conhecer de perto. Por sua vez, na parte administrativa e funcional, o Albérico também ansiava em colocar a mão na massa com todo o conhecimento adquirido.

Após a viagem, no ano de 2010, quando entrei no setor de produção pela primeira vez, tive a certeza que fazíamos mágica naquele pequeno espaço. Também pude perceber o quanto éramos organizados. Nossa produção era simples, nossos maquinários compactos e funcionais, porém daquele espaço saíam maravilhas que era difícil acreditar que fosse possível fazer com tão pouco.

VOCÊ É O PÃO QUE VOCÊ COME!

Dica de produção: Muitos acreditam que para fazer pão precisam de maquinários de última geração, mas depende da sua intenção de produzir em escala industrial ou não. Em algumas situações o menos é mais, pois se você enche sua produção do que não tem utilidade para você, em produtos que não vão ser absorvidos, você lamentará ou encostará o investimento. Portanto, investir em seu maquinário vai de acordo com sua meta de produção, visando sempre uma margem de crescimento.

Comecei a ver tudo com outros olhos, testes e mais testes iam sendo realizados, trazendo novas técnicas, misturando os ingredientes de nossa cultura. A cada semana surgia um novo produto baseado em tudo que eu tinha visto na Europa. No final do dia colocava para os clientes provarem e darem suas opiniões, e assim fomos aumentando a cada dia nosso cardápio de pães.

Alguns clientes chegavam e idealizavam um pão com a sugestão de algum novo ingrediente, e eu sempre aceitava o desafio e partia para a criação; quando o produto ficava pronto, ligava para o cliente convidando-o para degustar, e a cada experiência realizada, mais prazer eu sentia, pois percebia que conseguia ler e interpretar a vontade do cliente e transformá-la em pão.

E assim, mais clientes chegavam até nós, tanto pessoas físicas como jurídicas, através da mídia espontânea — que a cada dia crescia mais. O boca a boca de quem conhecia o produto e o indicava também crescia progressivamente. Já fazíamos as cestas com pães e geleias, usávamos cestas de vime — eram muito trabalhosas, pois tínhamos que escolher muito bem o fornecedor e fazer uma higienização completa para poder colocar os alimentos. Passamos então para cachepôs de papelão decorados com papel celofane, ficava muito bonito e apresentado, sempre acompanhando uma toalhinha de artesanato da terra e uma etiqueta de identificação com nome da empresa e telefone, então comecei a ver a possibilidade de ter nossa própria embalagem.

DE OLHO NO PÃO!

Marta Barcelos Monteiro

Auditora Fiscal do Estado do Ceará

Quando se trabalha com fiscalização, ao longo dos tempos, no meu caso pessoal mais de 25 anos, desenvolvemos um certo "olhar" que dimensiona o tamanho do que se pode achar de "errado" numa empresa. Basta uma olhada no estoque, na produção, e um pouquinho das vendas, fazer umas contas mentais e pronto, difícil dar errado. Em 2013, recebi uma Ordem de Serviço, juntamente com um amigo, pra fiscalizar uma padaria indústria. Algo complicado, pois tem-se que calcular todo o material utilizado na feitura dos produtos, as perdas... Nunca tinha ouvido falar da empresa, mas chamou-me a atenção que ela carregava o nome da proprietária mais a expressão "pães artesanais". Enquanto meu colega vestia a "farda" e contava o estoque, escolhi, a despeito de meu nome ser Marta (na Bíblia, foi Maria que escolheu...), a "melhor parte". Quedei-me no banco grande que rodeava uma linda mesa na loja. Queria saber a história daquele lugar que cheirava a pão e vinhos. Sentia uma estranha sensação de "Déja vù"... Era como se eu estivesse em uma Taberna antiga, onde vinhos eram servidos e pães eram feitos à vista dos clientes. Havia um "ar" diferente ali... Conheci Neiva Terceiro e Albérico Terceiro neste dia. Ela, mais cordata, ele mais afobado. Eu procurei acalmá-lo, ali não havia nada , ou quando muito pouco, pra ser autuado . Ele me olhava meio sem entender... Como eu poderia saber disso? No entanto, eu sabia... Sempre tive *feeling* pra minerar pessoas! E apurei os ouvidos, pra ouvir as histórias que passavam pela construção daqueles dois... Muita luta, muito trabalho, algumas "quase desistências", no entanto, o amor ao trabalho de criar e produzir pães, aliado à necessidade de criar e educar dois filhos, foi mais forte… Quando alguém desligou a energia, em um final de semana em que estavam viajando, e os fez perder todas as mercadorias da loja/indústria... O baque foi grande! Sentados no meio-fio de pedra da rua, decidiram juntos, como sempre, que não desistiriam... E energias foram encontradas no fundo da alma e serviram de combustível pra levantar a cabeça e seguir... Houve ajudas! Graças a Deus! O colega volta, coberto de suor, e reclama da minha "não atuação ... Aviso-lhe que ali só havia Arte, da Neiva, e Trabalho, do Albérico... Quase nada de irregularidades... Olha-me com descrença e diz que isso ele ia apurar! Sorrio e lhe digo pra ficar a vontade! A minha avaliação já estava feita! Não dei "um prego numa barra de sabão" depois disso (risos)! Mas o colega trabalhou, e muito, e, ao final de seis meses, fez um Auto de Infração de algumas garrafas de vinho... Exatamente as que eram usadas nas degustações aos sábados de manhã… (risos) Eu avisei! Neste ínterim, eu aprofundei meus conhecimentos deste povo bom. Virei cliente assídua de TODOS os produtos da loja… Mas, principalmente, construí/constituí uma amizade ímpar com este povo bom. Tive o prazer de recebê-los em nossa casinha da Peroba, de acréscimo ainda ganhei, pra amar pra vida toda, a Dona Mazé, mãe do Albérico, uma pessoinha linda e amável, (segurei suas mãos enquanto tomávamos banho de mar na Peroba, porque o mar teima em levá-la pra ele, desde sempre...) e dois lindos filhos, criados pro mundo, como deve ser, Guilherme Terceiro e Giulia Terceiro. Tive o prazer de "estar" presente nos 25 anos desta união boa e produtiva. Tenho o prazer e o orgulho bom de me dizer "amiga da família"… Participo hoje até das confraternizações de Natal da empresa, lisonjeada com isso, fiz amigos também entre os empregados de lá… Costumo dizer que Neiva "colhe nuvens" pra fabricar os pães da Padoca... Tão macios eles são. É fantástico tirá-los congelados do freezer e, em cinco minutos de forno, sentir o cheirinho do pão invadindo a casa e convidando-nos a um cafezinho... ou um vinho! No momento, espero, ansiosa, o próximo curso de fabricação de pães da Neiva... Porque "...ainda sou estudante... da vida que eu quero dar..." Neiva me ensina, com sua arte, a querer ser melhor a cada dia... Albérico me ensina que o trabalho dignifica e amplia nossos horizontes... E a vida vai ficando mais rica e saborosa, com o acréscimo que estes bons amigos trouxeram a ela ! Muito grata !!!!

VOCÊ É O PÃO QUE VOCÊ COME!

Identidade organizacional: Nessa época já tínhamos nossa logomarca que o Albérico fez questão de entrar com o processo de registro de marca e patente. É uma segurança termos nossa marca registrada, pois ela faz parte da identidade do nosso produto e da empresa.

Desenvolvemos caixas de vários tamanhos, etiquetas, fitas personalizadas, e assim começou a nascer uma marca forte e diferenciada, pois quem recebia uma caixa de presente retornava através do endereço impresso para conhecer o trabalho e mencionava o prazer que foi receber aquele presente, que os detalhes da embalagem mostravam o cuidado com que era feito, e assim íamos nos aperfeiçoando cada dia mais.

Nossa produção aumentava e a ideia do congelamento tinha mais aceitação, tanto pelos restaurantes como pelos consumidores finais. Os freezers que tínhamos já não estavam comportando a nossa produção, e pensando no Natal que se aproximava e as crescentes vendas, resolvemos fazer um alto investimento em uma câmara frigorífica tipo túnel de congelamento, para ter um armazenamento maior e qualidade nos pães congelados. Com esse processo de congelamento conseguimos aumentar a capacidade de produção e dobrar o número de clientes atendidos.

Resolvi realizar uma oficina/curso de *Cupcakes*, onde trabalhamos com crianças e os pais; coloquei o projeto no papel, idealizei com um certo receio, pois nunca tinha dado aula ensinando a muitas pessoas ao mesmo tempo, as únicas experiências nessa área de ensino foram com as minhas colaboradoras e no meu primeiro emprego aos 14 anos como professora de datilografia. Mas medo à parte, comecei a mobilizar todos que participariam desse novo desafio. Comecei a divulgar a oficina nas redes sociais e aos clientes que circulavam na fábrica e logo estava com todas as vagas preenchidas para o primeiro curso e diante de uma expectativa muito grande de quem ia participar.

Arrumamos a casa para uma festa, balões coloridos, material lúdico e colorido para as crianças executarem a decoração dos *cupcakes* com vários tipos de recheios, pastas americanas coloridas, jujubas, miçangas, cortadores de diversos modelos, rolinhos de massa. Preparamos a nossa cozinha para receber os pais que iam aprender a fazer a massa do *cupcake* para seus filhos rechearem e decorarem. Meu filhos e funcionários se vestiram de palhacinhos para interagir com as crianças, foi maravilhoso ver a alegria e criatividade que brotou dos que participavam, a casa se encheu de alegria. A integração dos pais na atividade completando o aprendizado dos filhos foi muito produtiva. Depois de tudo pronto, fizemos um grande café com todos que participaram, e terminou o dia. Eu estava exausta, mas com uma sensação tão boa de realização, que compensava todo cansaço, e essa oficina foi uma porta que se abriu para muitas outras mais à frente.

PEDRAS NO CAMINHO

"Todo caminho é perfeito, e as pedras surgem para nosso aprendizado, elas fazem parte da caminhada, estão ali para ensinar, para fortalecer."

Tudo estava perfeito, na mais tranquila harmonia, estávamos em ascensão, em pleno crescimento, muitos planos para nossa produção e mudanças na casa para atender o consumidor final que nos procurava. Uma segunda viagem internacional estava agendada para o primeiro trimestre do ano de 2011, agora uma viagem profissional e guiada. Uma caravana Brasileira de Panificação, onde teria participantes de todo o país, de norte a sul, e grandes empresas também estariam participando. Uma oportunidade única e imperdível, eu e Albérico estávamos na lista dos participantes e ansiosos para o momento de novos aprendizados.

Começo de ano, época de chuvas, quando nosso inverno é farto no nordeste, e aquele ano estava sendo um inverno com muitas chuvas em toda cidade e muitas inundações, como acontece na maioria das capitais brasileiras por falta de estrutura fluvial.

Na segunda-feira, quando chegamos para trabalhar, fomos surpreendidos pela destruição, tinha água em todos os compartimentos, bicas d'água pelos conectores de energia, maquinários todos molhados, balanças eletrônicas danificadas, computadores, todas as embalagens personalizadas recém compradas, e o nosso estoque de farinha de trigo com uma bica de água caindo em cima. Com muita tristeza, começamos a tirar a água, jogar fora as sacas de farinha, embalagens e outros materiais que não teria mais como usar. Chorei muito nesse dia, pois aquela perda material, para nós que estávamos começando um negócio, era muito representativa. Mas nunca estamos sozinhos, veio o apoio de fornecedores, que nos incentivaram; um deles foi o Sr. Ivens Dias Branco Junior, que soube do acontecido e nos telefonou dando força, valorizando nosso trabalho, que não desistíssemos e que o Moinho estava ali para ajudar. Nossa vontade era de parar ali, naquele momento, porém muitas vezes uma palavra na hora certa muda muita coisa. E aos poucos fomos nos recuperando, aquele telefonema veio para nos animar e motivar, pois tratava-se de uma pessoa que não nos conhecia pessoalmente, mas conhecia nosso trabalho e estava ali afirmando que tivéssemos confiança que tudo ia dar certo, que iríamos superar. Ainda estávamos tomando fôlego do acontecido, quando chega o Carnaval. Vínhamos de um trabalho intenso e desgastante desde o Natal, somando os acontecimentos com a chuva, então resolvemos antecipar toda nossa produção para atender nossos clientes no feriado e pós feriado, para depois podermos desfrutar de um descanso no feriado prolongado. Trabalhamos exaustivamente nos dias que antecederam o feriado para abastecer nossa câmera com toneladas de pães e atender os restaurantes na volta do feriado, pois o movimento geralmente é grande nesse período, e após o feriado eles querem repor o estoque. Com esse trabalho prévio, fomos tranquilos para o descanso merecido.

Foi um Carnaval especial, pois há muito tempo não viajávamos para descansar, escolhemos como destino as serras do nosso Ceará, para sair da agitação do clima carnavalesco, na ótima companhia de bons amigos.

Retornamos na quarta-feira de cinzas antes do meio-dia e fomos para a fábrica, pois nossas colaboradoras retornariam às 13 horas, e queríamos estar lá para recebê-los. Quando chegamos na fábrica, sentimos que algo estava errado, um silêncio não comum, pois a câmara e os *freezers* têm seu ruído característico, e aquele silêncio denunciava que algo estava errado. Observamos que estava sem energia, até aí tudo bem, poderia ter sido uma queda de energia, mas ao abrir os freezers e a câmara constatamos que a situação era bem pior.

Resumindo, tínhamos uma segurança contratada, onde o acordo era que a qualquer disparo teriam a obrigação e dever de nos comunicar, para averiguarmos qualquer irregularidade no local. E o que encontramos quando chegamos? Vários comunicados de visita nos dias do feriado na caixa de correio assinados pelo segurança da empresa, atestando que tinham sido realizadas visitas no local, e inclusive naquela data às 13 horas, sendo que recolhi o comunicado do dia e dos dias anteriores, às 10 da manhã, quando cheguei ao local. Então deduzi que os papéis foram colocados antes, talvez em uma única visita no feriado. Segundo informações de vizinhos, o alarme tocou insistentemente no sábado por volta das 14 horas e depois de muito tempo parou; fomos averiguar o relógio de energia que na época ficava no poste da rua e o mesmo estava criminosamente violado e desligado o disjuntor, então ficamos sabendo que o alarme incomodou alguém da vizinhança, que simplesmente se achou no direito de quebrar e desligar a energia sem pensar nas consequências. A segurança admitiu que o alarme disparou no sábado às 14 horas, e eles não nos comunicaram, disseram que fizeram a visita e como aparentemente estava tudo normal, não ligaram.

Dessa vez meu choro foi com um misto de revolta, me perguntava como podem as pessoas agirem com tanta maldade com o próximo. Mas não podíamos ficar ali chorando, o prejuízo era fatal, pois além de toda produção que antecipamos e estava no túnel de congelamento, tínhamos uma câmara geladeira e vários freezers cheios de insumos de grande valor: bacalhau, carne de sol, embutidos, tudo em muita quantidade e estava tudo podre. As câmaras e os freezers viraram verdadeiras estufas, e nessa hora começou a mobilização, clientes e amigos que chegavam e prontificavam-se a ajudar na limpeza, as meninas da produção se ofereceram em ficar a noite trabalhando para adiantarmos a produção, os restaurantes que ligávamos avisando o acontecido, colaboravam recebendo os pães que tínhamos produzido no dia, mesmo não sendo os pães que serviam em seu cardápio.

Nesse dia pensei em parar com tudo, mas dentro de mim tinha uma força que gritava mais alto, pois eu acreditava em nosso trabalho e as pessoas que estavam ao meu lado acreditavam também. Assim, eu e o Albérico decidimos ir contra tudo aquilo e tentar resgatar aquele sonho, colocar a carruagem para andar. Mas não vivemos só de sonhos, o financeiro é o pilar de sustentação, e esse pilar tinha se rompido. Era como se estivesse começado um novo negócio, e dessa vez com um tamanho muito maior. Pegamos todas as economias, utilizamos os cartões de crédito para poder tocar a empresa, abastecendo do zero e ficando com dívidas. E foram meses e meses de muito sacrifício, e ao mesmo tempo muitos anjos apareceram em nosso caminho. No meio de tudo aquilo, surgiam pensamentos iluminados para otimizar os resultados e fomos pondo em prática. Assim, íamos atendendo nossos clientes, cada dia melhor e com mais novidades, fortalecendo a relação de confiança no mercado.

VOCÊ É O PÃO QUE VOCÊ COME!

Superação diante de dificuldades não esperadas: Quando surgem essas dificuldades, é hora de avaliar seu negócio: Ele é rentável? Ele tem projeção de crescimento? Você acredita no seu projeto? As dificuldades são internas ou de ordem externa? No meu caso, as dificuldades foram externas, não tínhamos problemas com o empreendimento e os fatores externos desequilibraram o planejamento. Se você acredita no seu negócio, é hora de colocar em prática novas ideias, procurar parcerias de peso que agreguem valor. O seu desdobramento será maior que o desdobramento na abertura da empresa, acredite.

IR OU NÃO IR?

Chegou a época da segunda viagem para a Europa, aquela viagem técnica que teria o objetivo de trazer mais conhecimento e bons relacionamentos. Mas como ir depois dessa catástrofe que acabamos de passar? Essa viagem estava sendo organizada por uma empresa de São Paulo, a MAX FOODS, que tinha feito parceria com um Centro Técnico de Panificação em Girona, na Espanha. No nosso roteiro visitaríamos a INTERSICOP, outra grande feira de panificação internacional que acontece no primeiro trimestre do ano na Espanha, em Madrid. Depois da Espanha partiríamos para o Sul da França, fazendo visitas a moinhos tradicionais franceses, padarias artesanais, confeitarias e em seguida rumo a Paris concluir as visitas técnicas. Foi difícil decidir o que fazer, foi difícil ligar para a empresa dizendo que não iríamos, devido ao ocorrido na fábrica. Mas as coisas quando têm que acontecer não temos como desviar. Naquela altura não tínhamos nem um cartão de crédito que pudéssemos disponibilizar para comprar a viagem, pois tínhamos usado todos os limites para recuperar o estoque perdido, e viagem para duas pessoas seria impossível. Do outro lado da linha vinha a insistência e força para que fossemos à caravana brasileira de panificação; a vontade era grande, mas seria mais um compromisso assumido diante de uma situação financeira tão crítica que estávamos passando.

Falei que definitivamente não iríamos, mencionei as dificuldades que tínhamos passado recentemente. Mas a empresa que estava organizando o evento tinha conhecido nosso trabalho em uma visita técnica que fizemos em São Paulo e ofereceu para que eles comprassem as passagens e eu pagaria em 12 vezes. Sabíamos que aquela viagem seria muito importante para minha carreira profissional, mas tínhamos receio de dar um passo além do possível. Depois de pensarmos muito, aceitamos a proposta e decidimos que só eu iria para essa viagem.

Viajei para Espanha com o grupo de participantes de Fortaleza e chegando lá nos unimos aos outros participantes de vários estados brasileiros; essa foi com certeza a melhor viagem profissional e técnica que fiz à Europa. Nesse grupo saindo de Fortaleza, tinha empresários do ramo do trigo ao sal, uma comitiva de funcionários da M Dias Branco e membros da Cimsal (Grande salineira de Mossoró), foram duas semanas de trocas de conhecimento, ideias e experiências.

Da Espanha à França

Tive a oportunidade de fazer um curso no Centro Técnico em Technoline Universidad Girona (Espanha), foi uma experiência maravilhosa, trouxe muito da parte técnica europeia para a minha produção. Fiquei encantada com a paixão dos europeus pela arte da panificação, e o grande conhecimento e pesquisas desenvolvidas por eles.

Seguindo para o sul da França, conheci padarias artesanais na cidade de Perpignan, em Cucugnan conheci o moinho de pedra movido a vento e o casal Roland e Valerie Feuillas, engenheiros e especialistas em panificação e confeitaria, que nos serviram um almoço em seu aconchegante restaurante, acompanhado de pães maravilhosos produzidos por eles. Na cidade de Montpellier visitei o Moulin De Sauret, que produzia mais de 80 tipos de farinha, e onde adquirimos mais conhecimento, fora as pessoas maravilhosas que conhecemos, tanto franceses como espanhóis, que nos guiavam pelas visitas técnicas.

SUCESSO SE CONQUISTA COM RELACIONAMENTOS

PÃO E CARINHO

Alessandro Pontes Arruda - Médico

Ainda me lembro de ver a capa de uma revista a vários anos atrás, quando me apaixonei pelo trabalho da Neiva. Naquela capa pude ver ilustrada de forma clara e inquestionável o resultado do trabalho de alguém apaixonada por pães. Era um pão com massa de jerimum, recheado de carne de sol, queijo coalho e coberto com rapadura. Procurei imediatamente onde poderia encontrar aquela delícia, e nessa busca conheci a Neiva, seu trabalho, e constatei o quanto de carinho e profissionalismo nos pães que ela produz. Sejam seus pães recheados, as colombas de páscoa, os pastéis de Belém, os deliciosos *croissants* ou as inigualáveis ciabatas, desde a primeira mordida os pães da Neiva passaram a ser uma constante em minha vida, o acompanhamento perfeito de tantos momentos felizes: jantares, aniversários, almoços em família. Já fazem quase quatro anos que moro fora do país, mas na minha casa, esteja ela em Cingapura, na China ou nos Estados Unidos, sempre tem um cantinho para os pães da Neiva, transportados com carinho, guardados naquele cantinho especial do freezer, sempre prontos para ir para o forno e me transportar magicamente de volta para minha terra natal. Hoje, além de deliciosos, os pães dela têm a capacidade também de fazer aquele carinho gostoso no coração.

Voltando ao Brasil depois de uma viagem profissional de muita valia e bons contatos, os problemas estavam à espera, pois as consequências foram grandes e não tínhamos ideia de quanto tempo levaríamos para nos equilibrar. Mas com a cabeça cheia de novos conhecimentos e o Albérico ao meu lado, que abraçava minhas iniciativas, continuamos a jornada dos sonhos. Esse foi um ano dividido entre o Bem e o Mal, acontecia uma coisa ruim, e vinha uma boa para rebater e vice e versa, tinha dias que estávamos exaustos, cansados de tanta luta, mas continuávamos. Em minha volta, retomamos o projeto de cursos e oficinas, e fizemos uma festa ainda maior em nossa oficina de *cupcakes*, contratamos uma animadora de festa infantil. Mais uma vez meus filhos e amigos interagiram com as crianças fazendo pintura artística de rosto, bolinhas de sabão e outras brincadeiras, foi novamente maravilhosa e gratificante e desta fez fortalecendo ideias para outras oficinas de temas variados que começamos a realizar em nossa fábrica a partir de então.

Não paramos mais, muitos cursos vieram, pizzas, pães especiais, tortas, sobremesas, pães funcionais, mesmo com o espaço físico reduzido, chegamos a realizar de 2 a 3 cursos por mês. O que mais encantava as pessoas nas oficinas, era o colocar a mão na massa, o realizar, ver acontecer, todos ficavam fascinados com o resultado final dos produtos por eles realizados. Eu, da minha parte, me sentia plena por conseguir transmitir o meu conhecimento de maneira simples sem rodeios ou segredos ocultos.

VOCÊ É O PÃO QUE VOCÊ COME!

Partilhar os conhecimentos ou não partilhar? Quando nos dispomos a dividir, compartilhar o nosso conhecimento, ele tem que ser por inteiro na proposta ofertada, triste o "profissional" que detém para si os seus segredos; quanto mais compartilhamos, mais aprendemos, essa não é uma via de mão única.

Um ano antes desse acontecido, conhecemos a revista Prazeres da Mesa, uma revista da alta gastronomia conhecida internacionalmente, através do primeiro evento de gastronomia que eles traziam para a cidade, sediado no Senac. Eles por sua vez conheceram meu trabalho através dos vinhos que o Albérico representava e ficaram encantados com tudo que viram. No dia do coquetel de abertura me chamaram e me deram um *stand* para que eu colocasse meus pães, além de fazerem um convite para que no próximo ano eu participasse entre os Chefs que ministram aulas nesse evento, onde a revista é feita *in loco* em apenas 2 dias. Nossa!!!! Eu nem acreditava que aquilo estava acontecendo, pois o meu trabalho ia ser conhecido em todo o país pela revista e se não bastasse a emoção, encomendaram alguns pães para a aula de degustação de vinhos. Quando fui entregar os pães para a aula, me surpreenderam fazendo uma entrevista comigo para conhecerem mais sobre o meu trabalho.

Chegando 2011, recebi o convite para ministrar a aula. Nesses eventos os chefes convidados elaboram receitas de acordo com o tema sugerido. Eu tive o prazer de ser convidada para dar 2 aulas e desenvolver 2 receitas, uma pela revista e a outra representando a farinha Finna, do Grupo M. Dias Branco. E como é uma característica do meu trabalho, sempre que sou convidada a um evento gastronômico, aproveito a oportunidade para criar novos pães.

A temática daquele ano era Serra, Mar e Sertão, e eu usei e abusei dos ingredientes do nosso nordeste. No dia que recebi o convite, sai para comer pizza com minha filha e a turma de amigos e pedi a eles na mesa, que cada um escrevesse um ingrediente da cultura nordestina que lembrasse serra, mar e sertão. E assim começou uma lista. Coco, jerimum, rapadura, camarão, caranguejo, carne de sol, queijo coalho... Percorrendo os olhos naqueles guardanapos, comecei a esboçar as receitas como um artista começa um quadro. Quando terminei, tinha as duas receitas que executaria: o Pão de Macaxeira com Caranguejo e o Pão de Jerimum, recheado com Carne de Sol, Queijo Coalho e Rapadura.

Foram dois dias de evento e também fiquei com a exposição dos pães no "Melhores da Cidade", onde as pessoas eram convidadas a conhecer o trabalho de vários chefes, e o nosso Stand fez muito sucesso tanto como as aulas. Ao final da aula, o prato executado pelos chefs eram fotografados para depois entrar em votação; foram 39 capas, todas produzidas no evento; disputavam a preferência dos leitores na escolha daquela que estamparia a Edição Especial. Todas as opções ficaram disponíveis no site da revista (prazeresdamesa.com.br) para o voto do público; a disputa foi acirrada e os chefs que assinavam as capas fizeram campanha através das redes sociais; foram mais de seis mil votos e escolheram o meu Pão de Jerimum recheado com carne de sol e queijo de coalho, com um toque de rapadura. Quando recebi a notícia, de que com mais de cinco mil votos minha capa fora a escolhida, não contive a emoção, gritei, chorei, e agradeci, pois era meu trabalho sendo reconhecido no Brasil e em outros países, pois tive votos no Brasil e no exterior, concorri com capas de Chefs renomados do Brasil e do Exterior. Sucesso!!!

Com a capa da Revista Prazeres da Mesa, o meu trabalho deu um salto grande, pois nos dias de evento muitas pessoas tiveram oportunidade de conhecê-lo e se tornaram nossos clientes. A mídia também aumentou, mais matérias chegavam e mais e mais divulgação espontânea. Esse evento ocorre há sete anos em Fortaleza e tenho a honra de ser convidada todos os anos, tanto para dar aula como para expor o trabalho no "Melhores da Cidade", e aproveito esse evento, que geralmente acontece entre os meses de julho, agosto ou setembro, para criar um novo produto que sempre é sucesso garantido e fica no nosso portfólio de produtos.

VOCÊ É O PÃO QUE VOCÊ COME!

Correndo contra a maré: Mesmo com toda essa alegria, mais pessoas conhecendo nosso trabalho, ainda estávamos no vermelho, com grandes dificuldades financeiras devido às fatalidades, e sem prazo para sanar. Mas o que nunca nos faltou, foi confiança, fé e acreditar no nosso potencial e produto. Então, em comum acordo, decidimos investir no atendimento ao cliente final, pois até então o cliente Pessoa Jurídica era o nosso maior rendimento. Continuar a Nadar Sempre!!!! Não importa a maré.

Resolvemos fazer uma reforma na parte da frente da padaria, onde atendíamos o cliente de maneira bem informal, um pequeno freezer, sem ar condicionado, uma área simples "de casa", porém muito aconchegante.

Nessa hora aparecem os amigos anjos. Chamamos um amigo que sempre faz os serviços de construção que precisamos, explicamos a situação e pedimos um orçamento. Ele prontamente nos deu o orçamento e quando vimos os valores totais deu uma desanimada, pois a situação ainda estava crítica. Nosso amigo, por nos conhecer e confiar, pediu que comprássemos o material por semana e ele colocaria uma equipe para trabalhar, disse que não nos preocupássemos, que depois nos acertaríamos, e assim foi. Rogério fez o trabalho da primeira reforma, as grades de ferro deram lugar a portas de madeira, dividimos uma parte em escritório e a maior parte para atendimento. Tudo ficou lindo e acolhedor; com o tempo trocamos o freezer por uma ilha de exposição e assim a loja ficou muito mais atraente, apesar de ser uma loja de fábrica, sem atendimento de balcão e mesas.

VOCÊ É O PÃO QUE VOCÊ COME!

Acreditar ou não acreditar, eis a questão: Quando se acredita, temos que enfrentar os obstáculos, ir em frente sem olhar para trás, buscando sempre um novo horizonte.

O ano caminhando com seus altos e baixos e nessa altura achávamos que nada mais poderia entrar em nosso caminho, começamos a executar a segunda parte da reforma, instalando ar condicionado para proporcionar mais conforto aos clientes. Depois de tudo pronto, começamos a fazer jantares harmonizados com vinhos, alugar o espaço à noite para eventos fechados e fechamos uma parceria com o Moinho Dias Branco em relação a aplicação de alguns cursos de panificação e confeitaria aos sábados; assim, continuamos crescendo e aos poucos ajustando as coisas e aumentando a circulação de pessoas na loja.

Agora era só trabalhar firme e ir rumo ao crescimento... Mas tem coisas que estão escritas e que temos que vivenciar, que não temos como fugir, dar as costas ou negligenciar, principalmente quando envolve amor e família.

Já tínhamos passado por vários sustos com minha sogra, que teve dois tipos de câncer, mas se restabeleceu, e foi então que de onde menos esperávamos, de quem tinha abundância de saúde e vitalidade, vem a notícia fatídica. Meu sogro, Sr. José Fontoura, que era um homem alegre, prestativo, com alma de criança e que sempre estava disposto a ajudar, além de ser um avô daqueles que neto nenhum é capaz de esquecer, ele que nos acompanhou em toda trajetória da padaria, estava com um câncer agressivo... Nesse momento a casa desmorona, mexe com todos, a família toda adoece, e os familiares mais próximos naquele momento éramos nós. Os meus cunhados, um morava no exterior e a outra em São Paulo, e devido as dificuldades da vida, não podiam compartilhar integralmente conosco na jornada que se iniciava.

Quem já passou por esse processo com alguém da família ou amigo, sabe do que estou falando, incertezas, medos, renuncia, força, fé, tudo que precisamos nos apegar ou desapegar nesses momentos, e nossa única saída diante do cenário era desprender tanto no aspecto financeiro, como em tempo.

Ainda estávamos nos equilibrando, reestruturando a empresa, com a projeção de que em um ano estaríamos com as rédeas do negócio nas mãos e tudo equilibrado, mas naquela situação precisamos abrir mão dessa expectativa, não tínhamos como pensar de outra forma, pois, com o avançar da doença, o gasto financeiro aumentava. Cuidadora, enfermeira, ambulância, remédios, fraldas e noites e mais noites sem dormir. Em comum acordo, mais uma vez eu e Albérico tínhamos que tomar uma decisão, éramos só nós dois, e sabíamos que essa decisão afetaria muito a saúde de nossa empresa, mas somos assim, movidos pela emoção, pelo amor à família; fizemos por ele o que faríamos por qualquer um dos nossos, e o que mais queríamos era reverter aquela situação como revertemos da minha sogra.

E assim foi um ano de muita luta, desgaste emocional e financeiro. Quando tudo acabou, estávamos destruídos, sem forças! Fomos fazer o balanço geral de nossa vida naquele ano que passamos na luta contra aquele câncer que nos venceu, e vimos que tinha abalado além de nossa saúde física, a saúde de nossa empresa, e mais uma vez começamos a lutar para segurar o nosso comércio.

A única coisa positiva que fazia com que não desistíssemos dos nossos sonhos, era que a padaria, mesmo no meio dessas tribulações, crescia positivamente em vendas, clientela, produtos e qualidade, o que estava afetado era a saúde financeira, pois foi um ano que usamos todos os recursos para tentar reverter o que era irreversível. Mas faríamos tudo novamente, para que ele estivesse com saúde e entre nós com sua alegria. Me marcou muito, quando ele estava muito debilitado e pediu que queria ver a padaria reformada, pois ele sempre que podia estava lá com sua alegria, montando caixas em datas festivas, batendo papo com os clientes, contando as histórias da sua terra Portugal, ou nos visitando em suas andanças e sempre torcendo por nosso crescimento. Fizemos a sua vontade, o Albérico o levou nos braços para ver toda a mudança na Padoka e ele ficou muito feliz e emocionado, dizendo que se sentia muito bem ali, que tinha uma energia gostosa na padaria, e em poucos dias o nosso "Portuga" nos deixou.

Assim aos poucos fomos nos conectando novamente ao trabalho, esperando aquele ano terminar. Nosso final de ano foi um sucesso em vendas de Natal, com muitas novidades, panetones diferenciados que faziam as pessoas disputarem pelos produtos na loja... e nós ansiosos pelo ano que estava por vir para continuarmos nossa história.

MORANGONE
Panetone de Morango com Chocolate

ESPONJA

400 gramas de farinha de Trigo FINNA

280 gramas de água

25 gramas fermento biológico instantâneo

PASSO 1: PREPARO DA ESPONJA

Pesar todos os ingredientes da esponja

Colocar os ingredientes na bacia

Misturar bem até deixar homogêneo, cobrir com um saco plástico e descansar a massa até dobrar de volume

REFORÇO

1 quilo de farinha de trigo FINNA

25 gramas de pó para sorvete de morango ou 400 gramas de morango desidratado triturado

400 gramas de gotas de chocolate

230 gramas de açúcar refinado

180 gramas de Margarina Puro Sabor

200 gramas de gema de ovos

160 gramas de água

50 gramas de leite em pó

30 gramas de glucose (vendido em casa de produtos de sorvetes, pesa-se com a farinha para ficar mais fácil de manusear)

10 gramas de sal SOSAL LIGHT

Tampa rasa de essência de panetone

Opcional: 150 gramas de morango desidratado para rechear junto com as gotas de chocolate

PREPARO:

PASSO 2:

Pesar todos os ingredientes do reforço (inclusive a água). Colocar a esponja com os ingredientes do reforço, com exceção das gotas de chocolate.

Sovar a massa por 10 minutos. Pode ir acrescentando água até dar o ponto. Lembrar que o ponto depende da farinha. Algumas pedem mais água que outras.

PASSO 3:

A massa de panetone deve ser trabalhar com a consistência mole. Uma dica é usar farinha ou óleo para desgrudar a massa da mão.

Adicionar as gotas e o morango desidratado

Dividir a massa em pedaços de 550 gramas

Colocar em formas de panetones e esperar dobrar o volume

Após dobrar o volume, deixar na temperatura ambiente por 15 minutos, fazer o corte em cruz e colocar manteiga no corte.

Levar para o forno de 160°C médio em média 30 a 40 minutos

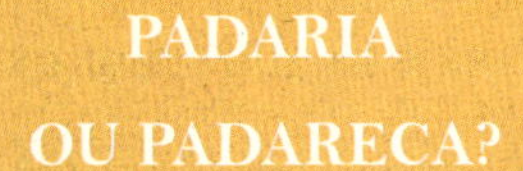

Perseverança

Planejar, calcular, prevenir, proteger, calcular custos, balanço, lucro... tudo depende somente de você acreditar e saber que é nas dificuldades que você mostrará exatamente se conhece ou não seu "negócio".

Uma empresa precisa de todos os controles possíveis, mas você também deve saber que em tempos ruins deve-se estar maduro o suficiente para resolver os desafios que surgem e assim encontrará força através de sua perseverança.

Tenho sempre em mente que quando você deseja realmente algo e acredita nele, não há nada que possa acontecer para mudar isso. As dificuldades vêm para corrigir algo que está sendo feito de forma equivocada ou errada mesmo. Quando percebemos isso e no mesmo instante corrigimos, conseguimos seguir em frente.

Tem um pequeno ditado que levo comigo, mas não sei quem inventou;

"QUANDO ESTÁ TUDO BEM, FICO PREOCUPADO E ME PREVINO POIS PODE ACONTECER DE PIORAR, MAS SE ESTÁ RUIM, FICO FIRME, POIS SEI QUE NO MÍNIMO TUDO VAI MELHORAR". Padaria não é Padareca!!!!

Albérico Terceiro

capítulo 6

UM NOVO HORIZONTE: RECONHECIMENTO NÃO SE COMPRA

“Quem atravessa um campo sem organizar a sementeira necessária ao pão

e sem proteger a fonte que sacia a sede,

não pode voltar com a intenção de abastecer-se.

Chico Xavier

Um ano novinho para ser preenchido e muitas possibilidades de crescimento, esse era o pensamento que acompanhava a chegada do novo ano, dedicação total a padaria, aos novos projetos, parcerias, viagens, cursos e profissionalismo.

Começamos o ano com a boa notícia que fui eleita no "Maiores e Melhores da Panificação Brasileira" como técnica do ano nível Brasil; fiquei muito surpresa e grata com a premiação, pois era o reconhecimento do meu trabalho Brasil afora.

Comecei um trabalho de consultoria, no Ceará e São Paulo, onde as empresas me contratavam para incrementar seu portfólio de produtos com inovações e técnicas diferenciadas na produção. Nossas oficinas cada dia mais procuradas, a loja de fábrica cada vez mais frequentada e as pessoas ao chegar a loja sempre à procura de novidades, pois no decorrer dos anos, passamos esse conceito de inovação na Neiva Terceiro Pães Artesanais.

Fui convidada para muitos eventos gastronômicos e para fazer muitas matérias para TV e jornal locais, proporcionando mais visibilidade a profissional padeira. Participei do INTERCAJU GOURMET, um projeto que visa contribuir para o desenvolvimento da Cajucultura no Ceará, onde grandes chefs do estado do Ceará criam pratos com caju. Foi produzido um livro e divulgado a nível Brasil. O Projeto Intercaju foi uma iniciativa do Governo do Estado do Ceará/ SECITECE, FINEP, CNPq e SEBRAE, em parceria com o

Nutec, Centec e Embrapa; no livro tive o prazer de contribuir com duas receitas[1].

No ano seguinte, depois de muito trabalho, estávamos nos fortalecendo e começávamos a colher os frutos. Fomos pela primeira vez premiados pela Revista Panificação Brasileira, revista do setor de Panificação. Anualmente elege padarias de todo o Brasil e profissionais em todas as categorias dentro do segmento. Estávamos entre as 100 melhores padarias do Brasil; dediquei essa premiação à nossa equipe, que consegue reproduzir tudo o que é ensinado com profissionalismo e capricho. Essa foi uma grande honra na nossa caminhada, pois a votação na época foi aberta ao público e os nossos clientes puderam participar da mesma; eles estavam ali todos orgulhosos, votando e deixando seus comentários e vibraram com a nossa vitória. Fomos a São Paulo receber a premiação e foi inesquecível.

Quando voltamos para Fortaleza, foi uma grande festa. Clientes vindo dar os parabéns, telefonemas, e-mails. Não deu nem tempo de baixar a adrenalina e recebi um telefonema inusitado. Por meu trabalho prestado à panificação no Nordeste, eu tinha sido eleita a melhor Padeira do Nordeste. Vocês não imaginam a alegria que foi essa premiação, pois sempre fui muito grata ao nordeste, como já mencionei, essa foi a terra que acolheu meu trabalho e onde pude desenvolver todo esse diferencial. A MELHOR PADEIRA DO NORDESTE DE 2013, e o sentimento de gratidão, confirmação e realização mais uma vez me invadiu. Essa premiação estava envolvida em muito significado pra mim, estava e estou muito orgulhosa, pois até hoje estamos entre as 100 melhores padarias do Brasil, e no último ano ganhei o título da Melhor Padeira do Brasil. Porém, mesmo possuindo um título a nível Brasil, para mim não difere em peso da premiação a nível Nordeste. Tenho orgulho de Ser Padeira.

---

[1] (Link do livro online https://issuu.com/jorgecarvalho/docs/intercaju_gourmet)

Não imaginava que a premiação repercutisse tanto, muito dos nossos clientes vieram pessoalmente nos cumprimentar pelas conquistas, pessoas que não conheciam pessoalmente nosso trabalho vieram conhecer de perto, e também recebi muitas propostas de consultorias na área artesanal, atividade que faço até hoje.

VOCÊ É O PÃO QUE VOCÊ COME!

Cultura organizacional de inovação: Nossa empresa tem em sua cultura, A INOVAÇÃO, portanto eu considerei todas essas premiações fruto da dedicação de nove anos a esse novo conceito de trabalho com os pães que desenvolvemos. Nosso foco é na inovação, aspecto tão falado nos dias atuais. Para adentrarmos esse caminho, primeiro temos que conhecer quem é o nosso público, quais suas necessidades e oferecer o diferente, o inusitado. Muito estudo e amor envolvido!

Hoje temos catalogados mais de 108 tipos de pães, que nas épocas festivas, com os panetones e outros produtos, chegam a aproximadamente 140 itens produzidos. Sempre temos algo novo a oferecer e fazemos degustações para que os clientes conheçam nossos produtos, fazemos pastas e patês diferenciados para acompanhar esses pães, e na nossa padaria o "Rei" é o pão! Os outros produtos são só coadjuvantes.

Nosso atendimento também é personalizado, procuramos conhecer cada cliente, anotar suas preferências e oferecer produtos que combinem com seu perfil, ajudar a escolher o produto certo para o evento certo, como por exemplo, um jantar, um café ou reunião de negócios e garantir o seu sucesso. O sucesso do evento se transforma em benefícios para nós que recebemos novos clientes, captados pela indicação garantida do cliente satisfeito.

E o ingrediente principal para essas conquistas é o amor com que todos nós da Neiva Terceiro Pães Artesanais temos pelo que produzimos; nossa produção tem o compromisso de garantir a qualidade do que oferecemos aos nossos clientes e o nosso atendimento possui o compromisso com a eficácia e a satisfação.

Quanto mais lutávamos, mais crescíamos e nos destacávamos. Recebi um convite para escrever uma coluna na Revista Panificação Brasileira, que circula em todo país, discutindo e trazendo novidades do setor de panificação com artigos sobre inovação e pães artesanais, e fiquei muito lisonjeada. Para um desses artigos, viajei para a Europa, dessa vez rumo à Alemanha e bem mais tranquila que nas viagens anteriores. Mais uma vez fui sozinha, mas o meu filho mais velho já estava morando na Europa e ia me acompanhar e ser meu tradutor, pois eu tinha a missão de entrevistar o Chef Bernd Neuner de Ravensburg na arte da panificação e confeitaria que conheci nas redes sociais e firmamos uma amizade. Cheguei a reproduzir alguns pratos dele, com receitas enviadas passo a passo por ele, e ele por sua vez reproduziu as minhas receitas. E assim foi; parti para Londres, onde mora meu filho, e dias depois fomos para a Alemanha, nos instalamos em Munich, e fiquei apaixonada pela confeitaria e panificação alemã, na minha percepção e gosto, superou outros países em sabor e textura.

Foi uma viagem rápida e rica em aprendizado, voltei com uma super matéria para a revista e na coluna seguinte saiu a entrevista com o Chef. Reproduzi um pão chamado ALMAS DE SUÁBIA, que tem uma história interessante e um processo longo de produção, e quando a receita foi publicada passo a passo na revista, recebi o elogio do Chef Bernd Neuner, parabenizando pelo meu desempenho; segundo palavras dele, era um pão de difícil execução até mesmo para antigos padeiros e que eu tinha captado a essência e desenvolvido com maestria. Bingo!!!

Almas da Suábia
por Neiva Terceiro

O que mais me fascina na panificação é o fato de poder resgatar muitas histórias através do pão, histórias recentes, milenares ou centenárias, e como amante da panificação artesanal, tenho gosto por resgatar sabores, valores e pesquisar outras culturas com a arte do pão.

Em minhas viagens sempre procuro temperos e sabores diferenciados na busca de novas experiências e nessa última viagem a Munich - Alemanha, trouxe vários temperos e um em especial, a "LAVANDA", pois tinha visto um pão executado pelo Chef Bernd Neuner (chef conceituado, professor e autor de vários livros de panificação e confeitaria na Alemanha) que despertou curiosidade. Recorri ao mestre, solicitando ajuda para executar essa receita aqui no Brasil com nossa farinha, nosso fermento e tudo mais, salvo a lavanda que trouxe da Alemanha, e assim foi, tive toda a assistência e paciência em nossa comunicação traduzindo do alemão para o português. Mas deu tudo certo, executei a receita com todo cuidado e fiz algumas alterações no modo de preparo e fermentação, contando que o nosso clima que é mais quente e nossa farinha e insumos também são diferentes do alemão.

Esse pão de nome estranho, "Almas", é uma especialidade da Suábia com uma longa tradição, com muitas histórias sobre a sua origem, uma delas é de natureza religiosa ligada ao dia de finados, diz que nas comemorações eram distribuídos aos pobres alimentos e o "Pão Almas", pois acreditava-se que isso lhes trariam uma boa colheita no ano seguinte. Essa tradição é preservada até os dias de hoje, na virada do outono para o inverno na recepção das "pobres Almas" com oferendas de comida e bênçãos para uma boa colheita.

Diz uma lenda infundada, mas popular, que uma antiga padaria, no momento dos 30 anos de guerra em Ravensburg, fez uma promessa de dar a cada mendigo, a cada ano no "All Souls", um pedaço de pão se a praga passasse .

Data-se que esse pão surgiu entre 1618 a 1648 e até hoje é um pão muito apreciado e encontrado em todas as padarias na Suábia e outros cantos da Alemanha.

As características desse pão são uma longa fermentação com sabor acentuado, miolo macio e úmido com uma crosta fina e crocante, e o perfume ímpar da lavanda, Kummel e o toque do sal grosso; no nosso caso usamos a flor de sal que deixou mais delicado.

PÃO ENCANTADO

Luana Andrade - Psicóloga

É muito fácil para mim falar da Neiva, da sua empresa e dos seus produtos, que estão sempre presentes em nossa casa. Meu marido, há muitos anos, ganhou de aniversário uma cesta fantástica recheada de pães maravilhosos. Foi amor à primeira vista ou à primeira mordida, não lembro ao certo. Fiquei tão encantada com a apresentação, com a variedade e com os sabores, que não sosseguei enquanto não fui conhecer a responsável pelo encantamento. Nunca esqueci a maneira como fui recebida pela Neiva na fábrica. Ela foi muito gentil, simpática e me fez provar várias novidades que estava criando. Sua paixão pelo que fazia me fascinou. Desde então virei uma cliente fiel e tenho acompanhado o crescimento de sua empresa. Hoje tenho o maior orgulho de dizer que, além de cliente, virei amiga dessa super profissional e de toda a sua família. Fico muito feliz por saber que a empresa tem sido cada vez mais reconhecida no mercado e recebido diversos prêmios estaduais e nacionais. Tenho certeza que os principais ingredientes dos seus produtos são: o amor pelo que faz, o compromisso com a qualidade e a constante busca pela excelência na apresentação do produto e no atendimento. Embora seja difícil eleger um pão preferido dentre tantos maravilhosos, confesso que o de caranguejo me conquistou, porque é a cara do meu Ceará. Fui convidada para uma degustação e, assim que provei esse pão, me apaixonei pela leveza, textura e tempero. Adoro caranguejo, e essa combinação com pão me desperta lembranças de momentos maravilhosos com a família. Obrigada por todos os momentos e sabores fantásticos.

1. RECEITA ORIGINAL DO "PÃO ALMAS DA SUÁBIA"

INGREDIENTES

MASSA 01 (ESPONJA)

200 gramas de farinha de trigo Tipo 550

220 gramas de água

5 gramas de levedura de cerveja

5 gramas de fermento biológico instantâneo(seco)

MASSA 02 (REFORÇO)

425 gramas de Massa 01(esponja)

300 gramas de fermento natural

800 gramas de farinha de trigo tipo 550

480 gramas água

15 gramas de fermento instantâneo seco

25 gramas de sal

5 gramas de açúcar

20 gramas de leite

(Receita original de um padeiro de 86 anos, cedida gentilmente pelo Chef Bernd Neuner)

INSTRUÇÕES

Misture os ingredientes da primeira massa com a mão fazendo uma esponja lisa, deixe coberta em temperatura ambiente até dobrar de volume.

Depois desse descanso, leve à batedeira ou masseira todos os ingredientes da segunda massa exceto a água.

Coloque a esponja nessa massa e misture, vá colocando a água aos poucos, observe que nessa receita a quantidade de água é bem maior do que usamos em receitas convencionais, vamos usar em média contando a água da esponja 70% de água (bem gelada) ou mais, dependendo da força da farinha.

Misture essa massa por mais ou menos 10 minutos em velocidade lenta, até dar o ponto de véu sem colocar toda a água, depois desse ponto vá colocando aos poucos o restante da água para quebrar a massa e amolecer mais uns 8 minutos; ela fica mais mole que a massa de ciabatta.

Terminando esse processo, você vai colocar essa massa em um recipiente grande, cobrir com plástico e colocar na câmara fria de um dia para o outro ou por mais ou menos 16 horas (faça no final da tarde para manusear pela manhã).

No dia seguinte você vai ver que ela triplicou de volume, então espalha-se 10 gramas de semente de lavanda pela massa, e abaixa o gás, (dá uma leve sovada com as mãos).

Deixar a massa descansar uns 40 a 50 minutos, e começar a trabalhar com as mãos molhadas para fazer os pequenos filões (essa massa só dá para trabalhar com as mãos molhadas para não grudar).

Depois de modelar os filões, salpicar sementes de kummel, lavanda e sal grosso (salpiquei Flor de Sal) e borrifar com água.

Pode salpicar no lugar da lavanda, avelã em lâminas, sementes de abóbora, sementes de papoula ou nozes, como também pode introduzir na massa na porcentagem de 30%.

Deixar dobrar de volume e assar em forno pré-aquecido se for de lastro 220 graus 10 minutos com vapor e 10 sem vapor.

Forno Turbo, que é o meu caso, começar assando a 200 graus 10 minutos com vapor e depois mais 8 minutos sem vapor diminuindo para 180 graus.

Assim que sair do forno borrifar água e colocar em cima de uma grade para esfriar.

O pão tem um grau de dificuldade, mas vale a pena o desafio e a experiência, pois degustá-lo depois de pronto será um imenso prazer.

2. PÃO INTEGRAL

INGREDIENTES:

Farinha de trigo FINNA 800 gramas

Farinha Integral Medalha de Ouro 1 kilo e 200 gramas

SOSAL LIGHT 30 gramas

Lecitina 50 gramas

Azeite 80 gramas

Água + ou - 1300 gramas

Fermento seco 20 gramas

MODO DE PREPARO:

Misture as duas farinhas e o fermento, acrescente o sal, a lecitina.

E vá colocando o azeite e a água alternados até dar o ponto da massa.

Sovar por 10 minutos, cortar pesos de 450 gramas e colocar em formas de bolo inglês untadas com azeite.

Deixar dobrar de volume e assar a 160 graus por 25 minutos.

OBS: A massa do pão integral absorve mais água do que o pão normal com farinha branca, observe caso necessite de mais água.

Surgiram outras viagens técnicas, uma delas foi organizada pelo SINDPAN-CE, o Sindicato de Panificação, onde visitaríamos novamente a Europain na França. Tinha participantes de vários estados brasileiros e grandes grupos como membros do MDB (M Dias Branco) e da UNIFOR (Universidade de Fortaleza), foi uma viagem de bons contatos, de muita pesquisa, valiosas visitas técnicas e troca de ideias com os parceiros de viagem. Em uma dessa visitas fomos ao INBP – Institut National de La Boulangerie Pâtisserie, escola de formação de padeiros, confeiteiros e chocolatier – França, passamos o dia conhecendo a escola e assistindo aulas com uma intérprete nos guiando. Nos meus sonhos eu queria voltar no tempo, ter 16 anos e conhecer a língua francesa, estava encantada com o frenesi nas salas de aulas, salas completas, alunos que pareciam formiguinhas trabalhando e os *chefs* eram os maestros que conduziam o belo trabalho.

Segundo informações que tive no local, para ser aceito na escola tem que dominar a língua francesa, eles não têm uma segunda língua, os jovens a partir dos 16 anos que se interessam pela arte, têm 4 anos para se formarem e saem dela com empregos garantidos, pois existe demanda. No caso de uma pessoa madura que de repente quer mudar de profissão, tem a opção de um curso acelerado de 2 anos para formação; a escola fica distante de Paris e no local tem alojamento para os alunos ficarem durante a semana; é uma profissão valorizada e incentivada, pois a arte de fazer pão é cultural na França. A notícia boa é que no mesmo ano a escola se instalou no Brasil, trazendo muitos cursos, embora tenha sido apenas por um período[2].

Foi uma viagem realmente muito rica em parcerias, na volta fomos procurados pela UNIFOR para ministrar em nosso espaço duas Oficinas de Pães Funcionais para os candidatos do novo curso de Graduação Executiva em Alimentos, em parceria com o Moinho Dias Branco e nós da Neiva Terceiro... A oficina foi um sucesso!

---

[2] site : http://www.inbp-brasil.com/

SUCESSO SE CONQUISTA COM RELACIONAMENTOS

PÃO DE REPENTE

Cláudio Gomes - Foi auxiliar administrativo na Padoca

Não poderia ficar de fora dessa oportunidade de expressar minha homenagem a Neiva Terceiro Pães Artesanais e toda a equipe que produz o melhor pão do Brasil. Vou relatar em humildes palavras através de um cordel, o tempo que estive trabalhando na padoca :

CORDEL "PADOCA "

Existem padarias cearenses em todo lugar,
mas na Aldeota tem uma bem diferente,
ali está Neiva Terceiro Pães Artesanais,
um lugar de boa gente,
onde tem amor, carinho,
humildade e muito trabalho...

Deus abençoa aquela "padoca",
também o ambiente é família,
e toda equipe trabalha,
alcançando muitos lares
e no fim seus familiares....

Vamos conhecer aqui,
vou citar algumas pessoas
que trabalhei e conheci,
que são exemplos
que precisamos seguir.
São seres humanos abençoados e
por Deus foram
e "tão" sendo usados
para fazer o melhor pão do país...

Começo pelos meus amigos e "Paitrões ",
isso mesmo , "Paitrões"!
Albérico e Neiva Terceiro
que sempre me ajudaram desde o começo,
e com sua visão, ousadia e fé,
ensinaram Nete e Gorete,
essa dupla é a prova que Deus nos dá seu brilho
e realiza o desejo do nosso coração,
batalharam , venceram
e administraram uma grande produção...

Teve Zuíla , Juliana e "Chicão" ,
um menino homem grandalhão...

Passou também por lá ,
Luzia , Lidiane e Fabiana
com seu "sutaque" paulistana...

Tem Gleyde , Claudia e Nagecy ,
e não podemos esquecer do nosso querido Anderson "Ligeiro",
e do sempre brincalhão Vinicius do "pandeiro"...

Quando eu estava lá
esse grupo ministrou
a "padoca" com muito amor ,
lembro - me também de "Dona Neta"
que cuidava da cozinha muito bem,
ainda tinha a Raquelzinha ,
que pequena no tamanho,
mas de uma grande valentia...

E a " Dona Mazé "!
Que com sua experiência e paciência
ajudava muita "gente"
a montar as caixas natalinas
pra quando o Natal chegar....

Ainda tem Giulia e Guilherme Terceiro,
eita povo guerreiro
que foram bater asas
e crescer em outro lugar.

Que Deus continue a abençoar!

Nesse grupo Deus investe,
eita povo pra trabalhar!
Trabalhando e marchando sempre
á frente para seus objetivos alcançar....

Ahhh ! Não posso passar batido,
tenho que escolher meu pão favorito,
é difícil em meio a tantas delícias,
mas como grande "formigão" que sou,
e sem comilança,
eu amo o pão de chocolate,
que ao provar,
eu me sentia como criança...

Obrigado Albérico e Neiva Terceiro
pelo respeito e carinho
que sempre tiveram comigo,
e agradeço a toda equipe também .

Vocês devem está pensando,
como é seu nome?
Sou Claudio ou Claudionor também,
desejo paz, sucesso
para todos da " padoca",
sempre, Amém!!!

Muito grato pela experiência e aprendizado que tive com essa família que cuida de seus funcionários com muito amor, respeito e carinho!

O Pão integral é mais nutritivo e rico em fibras, pois é feito com farinha integral, que você pode enriquecer com outros grãos, fibras, frutas, ele ajuda no bom funcionamento do nosso intestino, o seu consumo influencia na redução do índice glicêmico, e as fibras contidas ajudam na maior saciedade do organismo e também a reduzir o colesterol e podemos deixar esse pão mais light fazendo a redução de alguns ingredientes como o sal, açúcar, gorduras. Um exemplo é a nossa receita onde utilizamos o azeite, retiramos o açúcar, agregamos a lecitina de soja e reduzimos o sal, deixando o pão muito mais saudável. Toda fibra ingerida por nosso organismo deve vir acompanhada de ingestão de muito líquido para melhor funcionamento e resultados. Fica a dica, inclua em uma dieta saudável o pão Integral.

VOCÊ É O PÃO QUE VOCÊ COME!

Acredite: E as oportunidades aumentavam a cada dia, deixando para trás aquela nuvem pesada e os fardos que carregamos. Mas a grande lição foi NÃO PARAR, não trazer os obstáculos para o dia a dia, encarar o horizonte e acreditar, pois quando acreditamos em nós, em nossa capacidade, nos tornamos gigantes, e tudo pode reverter e acontecer, ACREDITE!!!

Passo a passo, fomos fortalecendo a identidade da nossa empresa, mostrando ao nosso público nossa missão de resgatar o sabor do pão artesanal guardado em nossa memória, e perdido ao longo do tempo; transformar matéria prima em pães diferenciados e de qualidade, fazendo uso da fermentação natural e inovando constantemente com insumos selecionados e principalmente matéria prima regional, tipo macaxeira, carne de sol, jerimum, queijo coalho, rapadura, que acabam sendo esquecidos em nossa rica cultura nordestina. Trabalhamos com o conceito e consciência de usar produtos naturais, abolindo o uso de conservantes, escolhendo cada fornecedor pela excelência de seus produtos para agregarem a nossa qualidade, e dessa maneira construímos a identidade da nossa empresa e do nosso pão e isso é visivelmente percebido pelos nossos clientes, que se identificam com o nosso produto, e que nesses anos de fidelidade sabem reconhecê-los por onde são servidos, pelos restaurantes da cidade oferecidos em seus couverts. Esses clientes acabam sendo meus fiéis olheiros, quando um estabelecimento não está cuidando bem do meu produto na hora da finalização, eles dão um alerta e assim fica mais fácil para que eu corrija junto ao restaurante.

Tenho uma cliente que diz o seguinte: **"Conheça um bom restaurante, pelo seu pão".** Daí você consegue perceber a grande importância e responsabilidade de um Bom Pão na mesa.

Muitos restaurantes pecam em seu *couvert* quando diz respeito ao pão; por vezes modestos demais, outras exagerados, enquanto um simples pão bem feito e bem acompanhado pode agradar a todos comensais, sem tirar o brilho do prato principal e deixar a espera mais agradável.

O consumo de pães na refeição do brasileiro é algo que vem aumentando gradativamente, com o intercâmbio cultural em que vivemos, estreitamento dos laços e vivenciando costumes de diversos países. Os consumidores estão ficando cada dia mais exigentes, não querendo ficar na simples torradinha com manteiga, ou um pãozinho sem expressão.

Há algo mais gostoso que chegar a um restaurante e ser recebido com uma deliciosa cesta de pães variados e quentinhos?

Para mim é tão importante quanto o prato principal, mas tudo tem que ser pensado, a cada restaurante cabe um tipo de pão e é isso que temos que explorar.

Outro ponto que acho importantíssimo é: CADA UM NO QUE FAZ DE MELHOR, o Chef com seus pratos e o padeiro com os pães. Alguns restaurantes possuem a preocupação de fazer os próprios pães e muitos acabam se perdendo. Hoje tem o pão no *couvert*, amanhã não, pois aconteceu algum imprevisto na produção e não deu certo. Isso não pode acontecer, pois acreditem, muitos clientes frequentam restaurantes pelo couvert que é oferecido e quando isso acontece perde-se a credibilidade, gera uma frustração no cliente.

Quando trabalhamos com pães, trabalhamos com vida. A fermentação não espera, e tem que haver alguém acompanhando o seu desenvolvimento para no momento exato, forneá-lo. Imagine essa logística de confecção de pães, modelagem, crescimento e forneamento, no turbilhão de uma cozinha de restaurante a todo vapor?

Nesse momento é que entram as padarias e padeiros, que podem desenvolver um trabalho especializado junto aos restaurantes, sabendo que é um trabalho de muita responsabilidade. Pois cada restaurante tem um perfil, uma personalidade, e os pães têm que ser desenvolvidos ou sugeridos em parceria com os *chefs*. Tem que ter harmonia entre o *couvert* e o que será oferecido, chamo de a identidade do pão, pois com certeza aquele pão foi especialmente elaborado para aquele fim. Será lembrado por quem dele se alimenta e associará ao restaurante que oferece, criando um vínculo e dando identidade àquele pão... Com o tempo você vai aprendendo a harmonizar todos os sabores, serviços, aromas e perfis, e tudo fica simples.

Quando se fala em couvert e harmonização, tudo tem que ser pensado: temperos, tamanhos, formas e serviço. Quem fornece os pães, tem que ter o conhecimento básico de como funciona a cozinha de um restaurante, o que harmoniza com o quê, para que essa combinação seja perfeita e satisfatória a ambos.

Antes de começar um trabalho com restaurantes, você tem que fazer uma logística do seu trabalho atual com o novo serviço que oferecerá. Você não pode falhar com seus clientes do dia a dia, e os restaurantes que contratam o seu serviço, precisam ter a segurança e tranquilidade em relação a ter os pães perfeitos em seu *couvert*. Juntando essas dicas, sua criatividade e profissionalismo, você tem um ótimo nicho para explorar.

Formas e tamanhos

Você pode brincar com as cores, tamanhos e formatos dos pães e vender a ideia para seus chefs parceiros.

Podemos montar o couvert, com grissinis temperados e coloridos, misturados a mini pãezinhos neutros e temperados e torradas simples ou temperadas; os mini pãezinhos podem ser na gramatura de 25 a 35 gramas.

Geralmente essas cestas são acompanhadas de uma boa manteiga, geleia ou um antepasto oferecido pelo chef da casa.

Podemos também trabalhar com pães individuais na gramatura de 150 gramas a 200 gramas, quem sabe um pão Italiano, australiano, português ou pão temperado com ervas, que pode ser servido inteiro em uma tábua charmosa ou pré fatiado para facilitar na hora de servir.

Temos uma infinidade de temperos que podem compor nossos pães desde o mais simples ao mais exótico, tipo tomate seco, ervas finas, queijos, embutidos moídos, cardamomo, sementes de funcho, manjericão, curry.

Além desses pães que mencionei, também podemos sugerir para cada tipo de casa um diferencial, por exemplo em uma churrascaria oferecemos mini pãezinhos de alho ou cebola, mini pãezinhos de hambúrgueres; em um restaurante natural podemos oferecer mini pães funcionais tipo pães integrais com grãos variados, pães de cevada, centeio, aveia, vegetais entre outros.

Mas tome muito cuidado ao usar os temperos, a função é dar um toque sutil ao pão, o mesmo cuidado temos que ter com o colorido, evitar usar corantes artificiais e explorar o colorido e sabor natural dos alimentos, tipo cenoura, couve, espinafre ou beterraba.

Temos que pensar que os pães compõem uma entrada, um aperitivo, depois deles vem o prato principal, por isso, tudo tem que ser na medida certa para não roubar a cena.

Agora que você tem as dicas dos pães para couvert, faça seus pães, use e abuse dos temperos e formatos, da sua criatividade, crie seu cardápio e ofereça aos seus clientes.

Conservação e armazenamento de pães artesanais para couvert

Não basta ter a preocupação de produzir e colocar os seus pães no mercado, esse cuidado e preocupação tem que ir mais além, pois quando você coloca seu produto em um restaurante, café ou bar, você está colocando a qualidade de seus produtos a vista, e precisa da garantia que seu produto vai chegar à mesa do consumidor com a qualidade oferecida por quem produz.

Diante desse cuidado, é muito importante que o seu cliente tenha uma orientação de como transportar, armazenar e a temperatura adequada para conservação.

Você deve conhecer o espaço onde seus pães serão armazenados, se eles forem congelados mantenham a temperatura de -17°C, longe de produtos que possam passar cheiro e gosto; por exemplo, não colocar próximo a carnes, peixes, frangos, pois esses alimentos passam cheiro ao pão com muita facilidade. Orientar chefs e auxiliares de cozinha a melhor maneira de aquecer seus pães, em temperatura ambiente armazenar em local arejado, limpo, de forma que não amassem e quando for aquecer usar forno elétrico ou convencional, "JAMAIS" microondas, que deixam o pão com aspecto velho e emborrachado.

Orientar seus clientes para a organização do estoque de pães sempre respeitando a validade dos produtos; dependendo de como seus pães são produzidos, a validade dos congelados varia de 3 a 6 meses da data de fabricação e os *in natura* de 3 a 10 dias. Na fabricação de pães artesanais não usamos conservantes nem aditivos, então *in natura* a durabilidade será em torno de 3 a 5 dias, dependendo da fermentação que foi usada, se fermentação natural ou fermento biológico industrializado.

Desenvolva embalagens práticas de fácil transporte e armazenamento, com visual positivo de apresentação de seus produtos, de modo seguro exibindo rotulagem, validade, tudo que possa valorizar e assegurar a qualidade dos mesmos.

Para uma boa comercialização tem que haver compromisso e parceria de ambos, esteja sempre atento às necessidades de seus clientes e acompanhe o trabalho com seus pães onde são distribuídos, assim você tem a garantia de que seu cliente é a sua vitrine positiva.

Nós Padeiros temos fascínio e paixão pelo trigo de toda maneira e espécie, ele nos inspira a cada receita, a cadeia de Glúten formada e desenvolvida, a massa maleável nos encanta, o cheirinho no ar que nos deixa inebriados de desejos quando está assando, praticamente respiramos trigo, o trigo é a pérola do nosso pão de cada dia. Pães à Obra!!!

Prudência

Essa fase da Empresa considero a mais perigosa, pois temos que cuidar para não perder a identidade devido ao sucesso alcançado. Geralmente o primeiro pensamento seria aumentar escala de produção e assim corre-se o risco de perder a essência da geração da Empresa. Claro que a necessidade de crescimento é altamente desejável quando iniciamos um novo empreendimento, mas temos que ter cautela nessa busca para não haver falhas graves, como qualidade, atendimento, personalização junto ao cliente, detalhes em embalagens e toda estrutura que tornou a Empresa respeitada no mercado. Também é a fase mais cheia de adrenalina, ou seja, tem que criar estudar, buscar inovação, pesquisar e todos os dias reinventar com os produtos, visual para agradar e conservar o "patrão" CLIENTE. Por isso, bom senso é importante no crescimento organizacional.

Albérico Terceiro

capítulo 7

A ALMA DO PÃO... SOU EU E VOCÊ!

“

A poesia é sempre um ato de paz.

O poeta nasce da paz como o pão nasce da farinha.

ESCOLHI OU FUI ESCOLHIDA?

Sinto-me agraciada na escolha de trabalhar com um produto que tem tanta simbologia, até hoje não sei se eu o escolhi ou se ele me escolheu, nesses longos anos amadureci e me tornei uma profissional que tem muito que apreender ainda nesse universo.

Acredito que na minha caminhada, consegui fazer uma panificação diferente da convencional, segui meus próprios instintos; e no mercado criei, ousei, desafiei, provoquei, não sei se o certo ou errado, mas não consigo me basear em trabalhos feitos, não quero fazer o que as outras pessoas estão fazendo. Nesse momento a panificação caminha para fazer pães rústicos, tipo pães da Europa. Quando comecei, me espelhei muito nos europeus, por suas técnicas e qualidade indiscutível, mas sempre gostei do caminho mais difícil e por isso a minha panificação toma a vertente do novo, do improvável, procuro sempre surpreender pela textura diferenciada, cores, sabores e aromas. Faço minhas alquimias sem me preocupar com o que hoje é oferecido no comércio. O meu pão leva minha assinatura, e para mim isso é um peso enorme, pois eu me sinto na obrigação de oferecer sempre o novo, o diferente. Não poderia assinar o que já tem o que não me é de direito. Quando descobri esse universo eu era inquieta, e muitas vezes o que me mostravam e falavam que era impossível na panificação eu me desafiava e fazia ao contrário, quebrava as regras, pois como profissional, sou uma pessoa que não vê barreiras e nem dificuldades; quando quero criar um produto novo, faço estudos, vejo todas as possibilidades e coloco em prática indo contra todas as teorias.

Tive a prova do meu talento para a novidade quando perdi todo meu estoque de farinha que ficava armazenada em um local arejado e apropriado, e a minha farinha precisou ser armazenada dentro da produção perto dos fornos onde a temperatura ambiente chegava em média 40 graus, que teoricamente é super condenado, mas isso em nada alterou a qualidade dos pães, pois mesmo a farinha estando em um ambiente desapropriado, tínhamos todo o cuidado de equilibrar a produção na hora da execução e manuseio da massa, controlando a temperatura e aplicando técnicas apropriadas. Assim aprendemos a lidar com situações, pois na caminhada nada é exatamente como na teoria e você tem que criar meios para driblar os contratempos na produção e reverter a situação.

E nessa alquimia vamos transformando um simples pão, em um pão diferenciado, texturas que surpreendem, misturas exóticas que aguçam os paladares. Quando estou criando um pão, vou montando ele na minha cabeça e estruturando os sentidos, penso na leveza da massa, na combinação dos aromas entre massa e recheio, no sentido gustativo, em definir cada sabor sem que nenhum deles sobressaia mais do que desejado. Fecho os olhos e consigo sentir o aroma e sabor do pão que estou idealizando, e quando faço-o, surpreendo-me com o resultado final. Depois de pronto é hora de apresentar a cria aos comensais, a hora do desapego. Quando vou falar daquele produto, não é só como um simples pão, mas como o resultado do meu amor, do meu apego, da minha arte. É a hora que meus olhos brilham e falo com toda propriedade da minha criação. Tem um ditado que é muito ouvido, que nada se cria e que tudo se copia, eu não acredito nele, acredito que o homem é o ser mais dotado de imaginação e criação e só os acomodados copiam, feliz o homem que acredita no poder da sua criação.

Eu sou uma profissional ousada e provocativa, adoro provocar o mercado e ver ele reagindo. Gosto quando vejo as pessoas correndo atrás de inovar e oferecer o melhor para o mercado, para mim isso é uma grande satisfação, principalmente no mercado de Fortaleza, que a 20 anos atrás só víamos o convencional... Conseguimos trazer o novo, aguçar o trabalho com o artesanal, hoje temos várias padarias começando a trabalhar nessa linha e isso sinaliza um crescimento no mercado; não vejo como concorrência, pois cada um tem seu estilo e identidade de trabalho. Vejo isso como processo de inspiração!

Muitos me chamam de Boulanger, mestre, chef, mas eu gosto do título de PADEIRA, às vezes sou um pouco MESTRE, pois dentro da minha produção, e nos meus cursos tento passar o máximo da minha essência profissional e aprendo muito também com os que ensino, mas nada supera o prazer de criar e colocar a mão na massa.

Ser mulher, ter uma profissão que na maioria das vezes é executada por homens e formar outras padeiras, como é o caso de minha equipe, é outra fonte de orgulho. A profissão escolhida não é muito fácil, embora muitos achem glamouroso, por hoje estar em evidência, e serem chamados de Chef Boulanger (Padeiro). Mas é um trabalho árduo, onde você acorda cedo para produzir, fica em produções com temperaturas elevadas, tem que dividir seu tempo entre a produção, criação, fermentação, estudo, pesquisa, viagens e atendimentos a clientes, não ter vaidade com as unhas, pois têm que estar sempre curtas e limpas, entre outros desafios.

Hoje essa relação mulher x panificação é estreita no mercado, ainda ouve-se falar pouco em mulheres padeiras, mas elas estão espalhadas por todo Brasil e se pesquisarmos, veremos as que se destacam com trabalhos diferenciados. A sutileza, delicadeza e a criatividade da mulher vem a cada dia ganhando espaço nas produções de padarias de todo país. Ainda existe o preconceito, pois algumas pessoas acham uma profissão masculina e muitas vezes a mulher sofre uma resistência para atuar em uma produção. Sinto essa realidade quando estou dando uma consultoria, mas aos poucos, mostrando o profissionalismo, ganhamos espaço e nos unimos à classe, conquistando o espaço que nos cabe.

Trabalhar com a Alma do Pão tem a ver com a sua personalidade de padeiro, cada profissional tem seu estilo, o seu toque, e com certeza isso é percebido por seus clientes. O pão tem alma e surpreende quem se sacia dele, a relação entre o padeiro e o pão é uma relação familiar de pai e filho, você trabalha aquela massa, nutre, dá vida com a fermentação, embala para um longo sono, dá a forma, faz crescer e ao forneá-lo, ele nasce. E todo esse processo, por mais simples que seja, envolve o sentimento paternal que vai saciar a fome de alguém e fazer alguém feliz; assim nasce a relação entre a IDENTIDADE da sua empresa e o PRODUTO que você oferece, pois todo esse processo terá relação com seu CLIENTE, que tem afinidade com sua IDENTIDADE. E você, tem o poder de estreitar esse laço conhecendo o dia a dia do seu cliente e encantando-o a cada produto oferecido.

SUCESSO SE CONQUISTA COM RELACIONAMENTOS

COMENDO ATRÁS DO BALCÃO

Chef Luciano

Presidente da Associação dos Chefes de Cozinha do Ceará

Falar de Neiva ou dos seus produtos, é um enorme prazer. E falar dos seus pães me remete a um grande evento que fizemos juntos. OS PRAZERES DA MESA, um evento que aconteceu aqui em Fortaleza, e você ofertou aos seus clientes no "MESA AO VIVO", um pão sensacional, que os clientes estavam disputando "a tapa" para comer seus pães. Um pão com lula e coentro, recheado com creme de camarão, e era um pão sensacional, supeeeeer delicioso. E o curioso dessa história era que o pão estava acabando e eu não queria pegar a fila imensa, e assim me escondi atrás do balcão e fui degustar seu pão. Mas olha, eu sou chato pra comer pão, mas esse pão ficou na história do meu paladar, tá? Algo que completa por inteiro minhas exigências, um pão delicioso. E falar de você, Neiva, é super fácil, e ao mesmo tempo traz muita responsabilidade. Você tem uma responsabilidade muito grande conosco atualmente, em sua maneira de apresentar seus pães artesanais com uma fineza e a delicadeza da sua massa, é sensacional!!! Somos gratos a isso, e ficamos muito felizes por você se destacar no mercado da panificação, fazendo uma releitura com a farinha. Por que a farinha na sua mão ela vira iguarias inigualáveis, iguarias estas que nos remetem a várias sensações, desde o nosso passado a um futuro ainda incerto. Brevemente eu quero degustar aí as suas deliciosas "artes da panificação".

FERMENTAÇÃO NATURAL, O LADO MATERNO DO PADEIRO

E falando em identidade do pão, uma ferramenta que nos últimos anos no Brasil está tendo muito destaque, é o amado Fermento Natural, que já foi envolto em tanto mistério pelo desconhecimento. Muitos "profissionais" fizeram um rodeio enorme sobre essa cultura, a ponto de "esconder o pulo do gato", mas tudo que é bom tem que vir à tona e não deve só favorecer a poucos.

Era um mistério tão grande aqui no Brasil, quem tinha o conhecimento escondia a sete chaves. Eu comecei as minhas alquimias para chegar a uma fermentação natural há mais ou menos uns 16 anos e sofri muito, pois eram muitas informações desencontradas, mas com estudo e perseverança comecei um pé de fermento e começou a dar certo, pois é química pura.

Tem vários termos e funções para os fermentos naturais e fermentações chamadas de Patê Fermentée, Levain, Chef, Madre, Sourdogh; seguem alguns deles:

PATÊ FERMENTÉE, um termo muito usado na França, onde geralmente usam sobras de massas para fazerem novas massadas, essa massa envelhecida vai agregar sabor, acidez e textura a massa, sendo um composto da massa anterior.

SOURDOUGH, é um dos mais usados quando se fala em fermentação natural, cultura de Lactobacillus onde se realiza a simbiose com leveduras, muito bom para a fabricação de pães de centeio.

LEVAIN é um fermento natural simples onde se mistura farinha e água e ao ser exposta é contaminada por microrganismos do nosso ambiente que encontram nessa mistura um ótimo meio de multiplicação e crescimento, ocorrendo fermentações não controláveis, o que não ocorre quando usamos o fermento biológico industrializado que é produzido pelo fungo *saccharomyces cerevisiae*, o mesmo fungo usado na produção de cerveja. Essas fermentações produzem gás carbônico e alguns ácidos, o mais comum é o acético e o lático, que depois de um processo estará pronto para usar na fermentação dos pães.

BIGA é muito semelhante à esponja ou pré fermentação, onde entra a farinha, água e uma pequena porcentagem de fermento; não deve-se manipular muito a massa feita com esse processo para não enfraquecer a cadeia do glúten e não reter os gazes, e não deixar fermentar por muito tempo para não agregar uma acidez não desejada; esse processo dá uma durabilidade maior ao produto.

A fermentação de cada chef é diferenciada, em cada ambiente que é criada ela vai ter microrganismos diferentes. É muito importante o local onde é criado seu fermento, ter total higiene para não agregarmos bactérias indesejáveis que possam trazer danos à saúde.

A base do Fermento Natural, pode se iniciar a partir da combinação de diversos ingredientes; simplesmente água e farinha e os microrganismos do seu ambiente, através de frutas frescas ou secas, sucos concentrados, mel, caldo de cana, iogurte, centeio, cerveja, bagaço da produção artesanal de cerveja; tem muitas possibilidades, e cada fermento produzido terá seu aroma e sua acidez; eu particularmente adoro fazer novos fermentos.

Muito se diz de fermentos de 100, 150 anos de criação, mas na minha opinião, antes mesmo da fermentação natural começar a estrelar, fazia-se muito *marketing* em torno do uso desse processo que é milenar, e também existia a coisa do apego, pois um fermento iniciado a 100 anos atrás está sempre em processo de renovação. Para entendermos melhor, vamos falar de como se alimenta ou refresca um fermento natural de uma maneira bem simples; a cada vez que ele é usado, deve ser alimentado ou refrescado, com farinha e água filtrada ou mineral para que os microrganismos se alimentem, reproduzam e mantenham a fermentação; você pode fazer esse processo de alimentar toda vez que for usá-lo em suas receitas, ou duas vezes na semana; essa segunda opção é a que aplico na minha produção. Por exemplo, se você tem 1 quilo de fermento e retirou 500 gramas para fazer um pão, você vai alimentar o que sobrou com 250 gramas de farinha de trigo e 150 gramas de água e deixá-lo em temperatura ambiente por mais ou menos umas 3 horas, para que os microrganismos façam a transformação.

Então, seguindo a ideia que você vai alimentá-lo várias vezes, pois você fará muitos pães quando perceber a grande vantagem do seu fermento natural, a matéria prima inicial já não será a mesma, vamos ter uma renovação constante de matéria prima e uma multiplicação dos microrganismos. Quando vocês começarem a fazer os seus fermentos, vão perceber que fermentos naturais antigos e os fermentos mais novos de meses, têm a qualidade bem semelhante, o que difere um fermento do outro é o local onde ele é produzido e é a matéria prima usada que vai dar a característica, a acidez, o aroma de cada um, mas o resultado final do pão feito a partir de um fermento novo é tão surpreendente tanto com um fermento começado há bastante tempo, como no meu caso, que tenho fermentos que iniciei há 16 anos e os alimento constantemente. Você se apega tanto que não vai querer dispensá-los, e sabe por quê? Simplesmente você se apaixona por ele, ahhh... se apaixona!!!!

Quando criamos um fermento, temos todo cuidado para alimentá-lo e preservá-lo como um filho. Para lidar com o fermento, você vai pegando o jeito e vendo que não é um bicho de sete cabeças, que tem meios de cultivá-lo sem se escravizar. As vantagens de um pão com fermentação natural estão na textura, no aroma, no sabor, que são totalmente diferenciados dos pães comuns com fermento biológico industrializado, pois o pão pelo processo natural leva muito mais tempo em relação ao pão convencional e nesse tempo ele agrega todas essas vantagens em forma de sabor, textura e a durabilidade, sem precisar recorrer a antimofos e conservantes que são tão prejudiciais à saúde.

Vou ensinar mais à frente uma das versões que acho mais simples da fermentação natural, mas que o resultado é ótimo e a praticidade em cultivá-lo sem tantos mitos. Você pode usar a fermentação natural em todos os pães, tem pães em que é usada a fermentação acrescida do fermento biológico; nesses casos, a utilidade da fermentação natural é para maciez, aroma e durabilidade, eu os chamo de pães com fermentação seminatural. Eu particularmente prefiro os pães de longa fermentação, onde se usa somente o fermento natural, e não temos pressa com o processo, e aí claro, os resultados são excelentes, como é o caso do pão italiano, mas que em uma produção em grande escala fica difícil trabalhar somente com a fermentação natural, pois os custos dessa produção são altos. O ideal é ter uma seleção de alguns produtos para oferecer a seus clientes, e fazer uma logística de produção, e usar e abusar do fermento natural em outras receitas acompanhado de um pequeno *start* de fermento biológico industrializado.

PÃO E VINHO

Edice Barros Lins de Souza - Médica

Minha história com a Neiva começou há alguns anos. Estava trabalhando quando um colega comentou que suas filhas agora levavam para o lanche da escola deliciosos pães, que se compravam congelados. Como adoro pães, fui no mesmo dia conhecer esse local. Lá chegando, além de conhecer os pães, que são mais deliciosos que eu imaginava, tive o prazer de conhecer a Neiva. Me senti em casa com tamanha simpatia. Parecia que eu já a conhecia há anos. Um dia, quando fui à Padoka com meu esposo, conhecemos o Albérico, mais sério, mas basta puxar um assunto para que a conversa transcorra com naturalidade e fluidez. Pessoas maravilhosas, feitos um para o outro! Os pães, então, não tenho palavras para descrever. Pela praticidade de ter em casa e colocar rapidinho no forno e pelas delícias que são, viramos clientes. Um tempo depois de já clientes de pães, panetones e sardela, vejo pelo facebook que ali haveria um curso básico de vinhos. Minha outra paixão foi despertada! Chateada por não ter podido participar da primeira turma, corri à loja e inscrevi a mim e meu esposo. Acho que foi uma das decisões mais acertadas que tomei. Juntou-se ao grupo o Zeh! Fantástico professor e *sommelier* de uma humildade sem tamanho. Cada quarta feira era esperada com ansiedade. Cada pão maravilhoso e vinhos incríveis! Cada quitute da Neiva! Se até então, meu pão preferido era o de lombinho com gorgonzola, me apaixonei pelo nhoque, que nunca comi melhor. Cada delícia melhor que a outra. Mãos de fada a Neiva possui. Hoje, temos a Neiva, o Albérico e o Zeh como amigos. Gostamos demais dos três e torcemos muito pelo sucesso de cada um. Profissionais dedicados e apaixonados pelo que fazem. Pessoas de caráter exemplar! Somos fãs, clientes e amigos.

1. FERMENTO NATURAL

PROCESSO 01

INGREDIENTES:

Farinha de Centeio 125 gramas

Farinha de Trigo FINNA 125 gramas

Caldo de Cana Amanhecido 400 gramas

OBS: Deixar o caldo de cana em temperatura ambiente de um dia para o outro em uma vasilha semi tampada para utilizar na receita.

PREPARO PROCESSO 01

Misturar bem os ingredientes em uma vasilha esterilizada, e tampar com filme por 24 horas em temperatura ambiente.

No outro dia, de preferência no mesmo horário, executar a parte dois do processo.

Você verá os microrganismos agindo sobre a farinha, fazendo a transformação.

PROCESSO 02

INGREDIENTES:

Farinha de Trigo FINNA 250 gramas

PREPARO PROCESSO 02

Misturar a farinha à mistura do dia anterior e voltar a cobrir e colocar para descansar em temperatura ambiente por mais 24 horas.

PREPARO PROCESSO 03

Farinha de Trigo FINNA 250 gramas

Misturar a farinha à mistura do dia anterior, colocar em um depósito plástico retangular, espalhar a massa obtida, cobrir com um filme e tampar bem.

Colocar sob refrigeração entre 3 a 5 graus por 7 dias.

Após esse período ela estará pronta para ser usada.

2. PÃO DE MACAXEIRA e CARANGUEJO AO CHUTNEY DE CAJÁ

PREPARO DE VÉSPERA:

1. Triturar de véspera a macaxeira da receita e colocar de molho junto com o coco ralado em água até que cubra. (colocar na geladeira).

2. Fazer uma esponja com 200grs de farinha, 03 gramas do fermento seco, 120 grs de água. Cobrir com filme e deixar descansar até dobrar de volume.

REFORÇO:

Farinha de Trigo FINNA 500 gramas

Macaxeira triturada 400 gramas

Fermento natural 300 gramas

Coco ralado grosso 150 gramas

Leite em pó 30 gramas

Lecitina de soja(pó) 15 gramas

Extrato de malte 10 gramas

Fermento seco 5 gramas

SOSAL LIGHT 25 gramas

Açúcar 40 gramas

Azeite 50 gramas

Água + ou - 350 gramas

PREPARAÇÃO DA MASSA:

1. Espremer a macaxeira com o coco e reservar (350ml da água).
2. Em um tacho grande colocar 500 gramas de farinha, misturar os 5 gramas de fermento e fermento natural, esponja leite em pó, a lecitina, o malte, o sal, o açúcar, o leite e aos poucos a água reservada até dar o ponto da massa.
3. Sovar por 10 minutos para desenvolver o glúten.
4. Deixar descansar 15 minutos coberta com plástico filme.
5. Dividir em pesos de 60 grs e rechear.
6. Deixar dobrar de volume, pincelar com ovos, E POLVILHAR FLOR DE SAL DE ERVAS FINAS quando estiver no ponto de fornear, fazer cortes e levar ao forno a 160 graus por + ou - 20 minutos sem vapor.

RECHEIO:

Carne de caranguejo 1 kilo
Pimentões vermelho, amarelo e verde 01 unidade de cada
Dentes de alho 04 dentes
Azeite 150 ml
Pimenta dedo de moça 01 unidade
Amido de milho 02 colheres
Tomates sem pele 02 unidades
Leite de coco 280 ml
Pimenta do reino, sal, cheiro verde e noz moscada a gosto
Carne de caranguejo 1 kilo
Pimentões vermelho, amarelo e verde 01 unidade de cada
Dentes de alho 04 dentes
Azeite 150 ml
Pimenta dedo de moça 01 unidade
Amido de milho 02 colheres
Tomates sem pele 02 unidades
Leite de coco 280 ml

MODO DE PREPARO:

Lave bem a carne de caranguejo coloque o caldo de um limão. Aqueça o azeite e refogue a cebola, pimentões, alho, deixe dar uma murchada e acrescente os tomates, refogue mais um pouco, acrescente a carne de caranguejo, deixe cozinhar uns 8 minutinhos, coloque o leite de coco e vá mexendo em fogo baixo, acrescente a pimenta dedo de moça picada o cheiro verde e deixe cozinhar mais uns 8 minutinhos; no final dissolva as duas colheres de amido em um pouco de água e deixe apurar uns 3 minutos. Leve à geladeira para esfriar e facilitar o recheio do pão.

3. CHUTNEY DE CAJÁ

500 gramas de polpa de cajá

250 gramas de açúcar cristal

40 ml de vinagre branco de maçã

04 dentes de alho triturado

01 cebola média ralada

02 pimentas de cheiro picadinha

02 pimentas dedo de moça, sem sementes, picadinhas

03 lascas generosas de gengibre (retire no final do cozimento)

01 pitada de cravo em pó

Misture tudo e leve ao fogo para apurar e engrossar.

Utilize para finalizar o pão.

Receita criada em 26/06/11

Neiva Terceiro

finna

4. PÃO ITALIANO FERMENTAÇÃO 100% NATURAL

INGREDIENTES:

Farinha de Trigo FINNA 1250 gramas

Fermento Natural 750 gramas

SOSAL LIGTH 35 gramas

Massa Velha 150 gramas

Água 650 gramas

MODO DE PREPARO:

Misturar a farinha, o fermento natural e a massa velha por 5 minutos em velocidade mínima.

Acrescentar a água aos poucos e por último o sal, bater mais 7 minutos ou até dar o ponto da massa em segunda velocidade.

Cortar pesos de 400 gramas, bolear e colocar para descansar em mesa enfarinhada e cobrir com um plástico por 2 horas.

Depois do descanso, modelar os filões, passar na farinha de trigo e colocar na assadeira.

Levar para a câmara de fermentação, ou para uma geladeira e deixar até o dia seguinte.

Retirar da geladeira e colocar em carrinho fechado para terminar a fermentação no caso de ter colocado na geladeira, depois de chegar no tamanho ideal para fornear, colocar em carrinho aberto para secar, uns 15 minutos.

Borrifar água, pulverizar farinha de trigo e fazer os cortes.

Em forno turbo assar a 170 graus com vapor, deixar por 15 minutos com a turbina desligada e chaminé fechada, após os 15 minutos, mais 10 minutos com chaminé fechada e turbina ligada.

E por último 10 a 15 minutos chaminé aberta e baixar para 160 graus.

Recompensa

Todo sonho, quando se acredita nele, se torna realidade! Tenha sempre equilíbrio, perseverança nas dificuldades, planejamento e mantenha viva sua essência.

Inovar requer muita coragem e paciência. O "frio na barriga" é sinal de que as coisas estão no caminho certo e mantenha-se nele.

Fazer o que ama é algo tão magnífico e mágico que supera qualquer tempestade!

Parabéns a todos que se atrevem a iniciar algo realmente novo e tenham certeza de que a recompensa será a satisfação de ser diferente e principalmente o tão esperado SUCESSO!!

Albérico Terceiro.

Produzir é encantar... Encantar para multiplicar!!!

Quando pensamos em produzir, temos que englobar tudo que envolve esse ato, pensar na logística de produção, no que vamos produzir, quem queremos atender com o nosso produto final, a nossa satisfação pessoal, pois quando fazemos algo que acreditamos e colocamos nosso empenho, tudo se torna mais claro, e temos que pensar em multiplicar, seja com o trabalho, seja com sementes plantadas através do que ensinamos, ser inspiração. Tudo que é inovador traz dúvidas e medos - "Será que vai ser aceito?" "Estamos preparados para abrir um mercado?" -, esses e outros questionamentos surgem no processo de criação, por isso nós acreditamos na ideia de investirmos e sermos os maiores propulsores do nosso negócio.

Meu trabalho não é um trabalho fácil, seria fácil fazer e vender o que já tem no mercado, mas escolhi o caminho mais difícil, o da paixão, o da criação e para toda paixão tem seus apaixonados!!! Sabe por quê?

PORQUE VOCÊ É O PÃO QUE VOCÊ COME!!!
AQUI TODOS VOLTAM PORQUE TEM PÃO.

APRESENTAÇÃO DA AUTORA E SEU TRABALHO PROFISSIONAL

NEIVA TERCEIRO

QUEM É?

- Há 23 anos, Padeira, Orientadora e Consultora em Panificação Artesanal.
- Pioneira em Fortaleza em Panificação Artesanal.
- Tem como missão resgatar o sabor e os valores da panificação original e regional, inovando e agregando qualidade ao pão nosso de cada dia, usando insumos inusitados e valorizando o tempero da terra.
- Conselheira Fiscal da Associação Cearense de Chefes de Cozinha do Estado do Ceará.

CERTIFICAÇÕES

- Formação em Panificação SENAI -SP
- Formação em Panificação Artesanal, ICIF (Italian Culinary Institute for Foreigners) Flores da Cunha, RS, Brasil.
- Técnicas em Croissant e Foccacias no Centro Técnologia Technoline - Girona/ Espanha.
- INBP – Institut National de La Boulangerie Pâtisserie, Escola de Formação de Padeiros, Confeiteiros e Chocolatier – França.

PREMIAÇÕES

- Capa Revista Prazeres da Mesa 2011.
- Eleita Técnica do Ano em 2012.
- Eleita Melhor Padeira do NORDESTE em 2013.
- Eleita Melhor Padeira do BRASIL em 2015 E 2016.
- Encontra-se entre as 100 Melhores padarias do Brasil pelo SEXTO ANO consecutivo.

SERVIÇOS

- Ministra cursos práticos de panificação e confeitaria.
- Orientadora e Consultora na arte da panificação artesanal e no empreendedorismo na área da panificação.
- Produz artigos para revistas impressas e eletrônicas sobre panificação artesanal.
- Presença em Noite de Autógrafos.
- Padeira, Amiga e Anfitriã na "Padoca", Neiva Terceiro Pães Artesanais.

CONTATOS

e-mail: n.terceiro@hotmail.com

Site: www.neivaterceiro.com.br

Instagran: Neiva Terceiro

facebook: Neiva Terceiro

Fone Comercial: (85)3268.2915 / (85)3261.9789

PATROCINADOR

A CIMSAL LTDA., tradicional Industria Salineira estabelecida no Rio Grande do Norte é, na atualidade, uma das principais empresas produtoras e beneficiadoras de sal marinho. Presente no mercado há quase meio século, desde sua fundação em 1974 industrializa o sal marinho com um padrão de qualidade diferenciado, buscando sempre atender os mercados mais exigentes. Tem sua matriz estabelecida em Areia Branca (RN), e filiais em Mossoró (RN), Fortaleza (CE) e São Bernardo do Campo (SP).

O parque industrial da Cimsal é formado pelas Salinas Pedrinhas e Uirapuru; nessas Salinas Marinhas são produzidas mais de meio milhão de toneladas de sal marinho in natura, uma produtividade em larga escala alcançada graças a fatores climáticos e geológicos privilegiados. O Sal produzido é direcionado para a industrialização em suas refinarias e moagens. Juntas, essas fábricas beneficiam diariamente mais de 1.500 toneladas de sal moído e refinado, atendendo as demandas principalmente da alimentação humana direta com o sal de cozinha, indústrias alimentícias diversas, indústrias de alimentação animal e têxteis. Tendo nas suas principais marcas: Sosal, Caiçara e Cimsal o reconhecimento do mercado brasileiro da garantia na qualidade e da segurança logística e industrial.

Um dos principais diferencias da Cimsal é a responsabilidade ambiental em garantir em suas plantas o controle necessário a manutenção das licenças ambientais devidamente atualizadas, bem como a responsabilidade social, em garantir um ambiente de trabalho seguro, higiênico e funcional para os seus mais de 500 colaboradores diretos.

A empresa tem seu sistema de gestão da qualidade reconhecidamente certificado na norma ISO 9001 e tem implantado e certificado o sistema APPCC que garante o padrão de segurança alimentar dos seus produtos, onde se destacam o pioneirismo na produção da Flor de Sal Cimsal, única no mercado brasileiro com um padrão internacional de sabor e qualidade. No início da produção dessa iguaria culinária há mais de 10 anos, foram utilizadas como referência técnicas das salinas francesas. Atualmente aperfeiçoadas, garantem uma produtividade superior e um padrão sensorial de aparência e sabor superiores a flor de sal produzida na Europa. Uma produção artesanal da salina ao envasamento, objetiva garantir sempre um produto que atenda dos mais altos padrões de consumo dos Chefs de Cozinha e das donas de casa que buscam a primordial necessidade de dar sabor ao pão nosso de cada dia.

FOTO: COLHEITA UIRAPURU

M. Dias Branco está presente nas mesas das famílias brasileiras

A M. Dias Branco conta com uma trajetória de sucesso calcada na qualidade dos produtos oferecidos ao mercado e no vínculo de confiança e respeito de suas marcas com consumidores e parceiros.

A história da empresa começou ainda na década de 20, quando o comerciante português Manuel Dias Branco chegou ao Brasil e inaugurou uma loja de secos e molhados em Cedro (CE). Em 1936 ele mudou-se para Fortaleza, onde fundou uma padaria. Mas foi em 1953, quando Ivens Dias Branco, aos 19 anos, começou a trabalhar com seu pai, que o estabelecimento guinou para se transformar em um dos maiores complexos industriais do País e do mundo.

A M. Dias Branco hoje é uma das maiores empresas brasileiras do setor alimentício. Segundo a Nielsen Media Research, é líder no mercado de massas e biscoitos do Brasil, com marcas top of mind na preferência do consumidor.

Um dos diferenciais da M. Dias Branco é a verticalização da linha de produção, o que garante total controle da qualidade de seus produtos, da fabricação de farinha e gorduras vegetais até a distribuição ao mercado. A companhia possui um dos mais modernos parques industriais da América Latina, com 15 plantas industriais e 29 centros de distribuição, gerando mais de 16.000 empregos diretos.

A companhia vem ampliando seu portfólio de produção e comercializa biscoitos, massas, farinha de trigo, margarinas e gorduras vegetais, snacks, candy's e bolos, mistura para bolos e torradas, com marcas que atuam nas regiões Norte, Nordeste, Sudeste e Sul, em toda a região da América do Sul, U.S.A. e África.

A M. Dias Branco está presente em todo o país, por meio de suas marcas regionais. No Norte e Nordeste, a companhia conta com as marcas Fortaleza, Richester, Vitarella, Estrela, Pelaggio, Pilar, Finna, Amorela, Adorita, Puro Sabor, Salsitos, Predilleto, Medalha de Ouro e Bonsabor. Na região Sudeste, a empresa está presente com as marcas Adria, Zabet e Basilar. Na região Sul, a marca da companhia é Isabela.

Todas as marcas ocupam posição de destaque nos mercados em que atuam, conquistando diversos prêmios em pesquisas junto aos consumidores e clientes.

VERMELHO MARINHO